Juin 2006

À toi, ma fille remplie de créativité(s), un livre pour te conduire sur le chemin des bougies tellement utiles pour embellir le quotidien !

Puisses-tu y trouver des heures de pur plaisir.

Tendrement
Maman oxx

Chandelles
à faire
soi-même

Alison Jenkins

photographies d'Emma Peios

Données de catalogage avant publication (Canada)

Jenkins, Alison

Chandelles à faire soi-même

Traduction de : The handmade candle book.
Comprend un index.

ISBN 2-89568-013-2

1. Bougies – Fabrication. 2. Bougies – Fabrication – Ouvrages illustrés. I. Titre.

TT896.5.J4614 2002   745.593'32   C2001-941113-8

Pour Dave

L'édition originale de cet ouvrage a paru en anglais sous le titre :
The Handmade Candle Book, aux éditions New Holland Publishers (UK) Ltd.

Édition : Christine Rista et Claire Waite
Contrôle de production : Caroline Hansell
Photographie : Emma Peios
Graphisme : Roger Daniels
Direction éditoriale : Rosemary Wilkinson
Traduction : Annie Ollivier
Révision linguistique : Monique Thouin
Mise en pages : Infoscan Collette

Nous reconnaissons l'aide financière du gouvernement du Canada
par l'entremise du Programme d'aide au développement de l'industrie de l'édition (PADIÉ)
pour nos activités d'édition ; du Conseil des Arts du Canada ; de la SODEC ; du gouvernement du Québec
par l'entremise du Programme de crédit d'impôt pour l'édition de livres (gestion SODEC).

Important

Tous les renseignements contenus dans ce livre ont été soigneusement vérifiés et tout a été fait
pour qu'ils soient le plus précis possible. L'auteur et l'éditeur ne seront pas tenus responsables en cas d'accidents,
de dommages ou de pertes qui pourraient survenir en suivant les instructions données dans ce livre,
soit pendant, soit après les opérations décrites.

Pour vous permettre de travailler en grammes ou en onces, les conversions ont été ajustées
à la hausse ou à la baisse. Ces ajustements n'affecteront pas votre résultat final
pour autant que vous vous en teniez à l'une ou l'autre de ces unités de mesure, sans les mélanger.

Remerciements

Un merci tout particulier à Senses Candle Design pour les instructions et les chandelles de la page 62,
et à David Constable pour la fabrication des chandelles des pages 28, 38, 44, 58, 64, 66, 68 et 70.

ISBN 2-89568-013-2

Dépôt légal 2002
Bibliothèque nationale du Québec

Imprimé à Singapore

Éditions du Trécarré
Outremont (Québec) Canada

1 2 3 4 5   05 04 03 02

table des matières

Introduction   4
Bref historique des chandelles   6
Équipement   8
Cires   12
Moules prêts à l'emploi   14
Adjonctions   15
Fabrication des chandelles   16
Moules maison   20
Effets spéciaux   22
Mesures de sécurité   24

DÉLICATE SIMPLICITÉ   26
Élégantes navettes   28
Cire d'abeille au naturel   30
Exotique bambou   32
Pommes vertes   34
Gelée en pot   36
À la coque ou dur?   38

RÉALISATIONS ÉVOCATRICES   40
Cubes givrés   42
Rayures fuselées   44
Pyramides craquelées   46
Cierges d'ananas concassé   48
Chandelle à la Rothko   50
Chandelles bleu de glace   52
Gaufrage de fleurs   54
Galets zen   56
Cierges givrés   58

ORNEMENTS ADDITIONNELS   60
Photophore   62
Mosaïque de miroirs   64
Un brin de métal   66
Cube de coquillages   68
Cierges recouverts de graines   70
Huiles et senteurs   72

Problèmes et suggestions   75
Gabarits   76
Adresses utiles   78
Index   79

La fabrication de chandelles est un art manuel relativement simple dont les origines remontent à l'histoire ancienne. Le matériel et l'équipement nécessaires se trouvent facilement et un peu partout dans les boutiques d'artisanat ou autres. Vous découvrirez probablement que vous disposez déjà dans votre cuisine de la plus grande partie de l'équipement voulu. Une fois ce livre en main, rien ne devrait donc vous empêcher d'explorer cet art créatif et satisfaisant.

La confection de chandelles demande une source de chaleur, ce qui fait de la cuisine l'endroit idéal pour les fabriquer. Tenez compte du fait que cet art est absorbant et qu'on y devient vite accroché. Cela, mes pauvres parents pourraient vous le confirmer. Ils m'ont un jour rendu visite alors que j'étais en train d'expérimenter et de préparer les réalisations prévues pour cet ouvrage. Ma cuisine était à ce moment-là une zone réservée exclusivement aux chandelles, et cuisiner y était proscrit, des casseroles pleines de cire ou de paraffine fondue bouillonnant sur la cuisinière et des créations à divers stades d'achèvement étant disposées en équilibre sur toutes les surfaces disponibles. « On va au restaurant ce soir ? » suggérèrent-ils. Je me sentis soulagée...

Ce livre est essentiellement composé de deux sections. Dans la première, vous trouverez des informations et des techniques, ainsi que des détails sur l'équipement de base et l'équipement et les matériaux spécialisés dont vous aurez probablement besoin, avec à l'appui des détails sur l'usage de ces derniers. J'y ai inclus la description des techniques de base de la fabrication des chandelles, ainsi que de certains effets spéciaux. En lisant attentivement cette section, vous pourrez

réaliser toutes les chandelles inspirantes, 21 en tout, qui sont décrites dans la seconde section.

Il n'est pas du tout nécessaire que vous regroupiez tout le matériel et l'équipement d'un coup. Je vous recommanderais plutôt, si vous débutez, d'acheter le strict nécessaire. Ensuite, si vous constatez que vous êtes mordu, vous pourrez envisager d'acheter de l'équipement et des moules plus chers.

Les réalisations choisies pour ce livre sont destinées aussi bien à vous apprendre l'art en question qu'à vous inspirer. Elles ont été pensées pour servir de point de départ à la fabrication de chandelles. Pourquoi ne pas vous lancer dans votre propre combinaison de techniques et de couleurs pour obtenir des effets spectaculaires ? Si vos débuts vous déçoivent quelque peu, n'oubliez pas que la paraffine et la cire peuvent toujours être refondues et réutilisées. La joie inhérente à l'apprentissage de tout nouvel art manuel réside dans le fait que l'on peut mettre en pratique des aptitudes de base récemment acquises tout en les combinant avec son imagination et son style artistique pour créer des objets aussi utiles que décoratifs. Ces objets sont bien sûr un reflet de votre personnalité. Je suis certaine que vous découvrirez comme moi que la confection des chandelles est une merveilleuse et agréable façon d'exprimer votre individualité et qu'elle procure bien plus de satisfaction que l'achat en magasin de chandelles produites à la chaîne. J'espère que vous apprécierez cet ouvrage et que vous transformerez cet art en un élément de votre vie, dont les chandelles feront désormais partie.

bref historique
des chandelles

Que nous avons de la chance de pouvoir nous éclairer d'un simple mouvement du doigt! Le luxe de la lumière artificielle instantanée est cependant quelque chose de relativement nouveau. Il n'y a pas plus de 150 ans, l'humble chandelle ainsi que les lampes à pétrole étaient les seules sources de lumière artificielle disponibles. Pourtant, même si l'électricité et le gaz sont dorénavant les sources d'énergie les plus courantes dans la plupart de nos foyers, nous choisissons encore d'utiliser des chandelles, non plus par nécessité mais pour l'irrésistible attrait qu'une flamme vacillante exerce encore sur nous.

Les méthodes de base de la fabrication des chandelles sont restées les mêmes depuis des siècles. Une chandelle est essentiellement un cylindre de combustible solide équipé d'une mèche en son centre. Traditionnellement, la plupart des chandelles destinées à l'usage domestique étaient faites de suif, une substance obtenue à partir de graisses animales, les mèches étant faites de lin ou de jonc. Le suif émettait une odeur infecte en brûlant et les mèches de lin ou de jonc donnaient une épaisse fumée noire. Le seul autre produit disponible pour la confection des chandelles était la cire d'abeille, qui, en raison de son prix élevé, était réservée au clergé et aux nantis. Même là, les chandelles brûlaient souvent de façon irrégulière en raison de la qualité inégale des mèches.

Au début du XIXe siècle, grâce aux recherches et aux expériences effectuées par un chimiste français du nom d'Eugène Chevreul, on découvrit qu'une substance appelée stéarine pouvait être isolée du suif. Cette substance pouvait servir à durcir d'autres graisses, ce qui permit d'accroître la production de chandelles meilleur marché de qualité supérieure et inodores. À mesure que l'on avançait dans le siècle, le pétrole et le charbon devinrent de plus en plus utilisés comme sources d'énergie. L'extraction de la paraffine fut un des dérivés de cette industrie.

Ces deux ingrédients de base, la stéarine et la paraffine, améliorèrent considérablement la qualité de la combustion des chandelles et, exception faite de la cire d'abeille, remplacèrent toutes les autres substances employées

jusqu'alors dans la fabrication des chandelles. Ces substances sont encore les ingrédients principaux des chandelles, bien que la stéarine soit dorénavant tirée de l'huile de palme et que la paraffine soit un produit dérivé du raffinage du pétrole.

Il y eut un autre grand progrès au cours de la même période grâce à l'avènement des mèches tressées. Les mèches de lin et de jonc faisaient brûler les chandelles de façon inégale et produisaient beaucoup de fumée. Il fallait les moucher et les tailler à intervalles réguliers. En 1825, grâce aux expériences d'un autre Français, M. Cambacérès, qui avait essayé différents matériaux comme mèches, fut produite une mèche en fil de coton tressé qui donnait une flamme plus vive et plus stable. Mais il restait le problème des cendres produites par la combustion du coton tressé.

On découvrit alors que si on trempait les mèches dans de l'acide borique elles se consumaient totalement. Par coïncidence, ce fut juste à cette époque, alors que la fabrication des chandelles avait enfin atteint une certaine perfection, que l'usage de l'électricité comme source d'éclairage devint fonctionnel et se répandit largement.

De nos jours, l'emploi des chandelles connaît un regain et les fabricants de chandelles ont à leur disposition un grand éventail de cires et de paraffines, de moules et de matériaux décoratifs. Les réalisations proposées dans cet ouvrage font appel à un éventail de techniques simples qui sauront renseigner les lecteurs et les inspirer à créer des chandelles magnifiques et originales dont ils se serviront personnelle-ment ou bien qu'ils seront fiers d'offrir.

équipement

La fabrication des chandelles demande un certain attirail, composé de plusieurs éléments dont certains que vous trouverez dans la cuisine ou votre bureau. Pour la majorité des réalisations décrites dans cet ouvrage, vous aurez besoin d'un bain-marie, d'un thermomètre, d'une aiguille à broder, d'un support à mèche, d'un *cutter*, d'un plat à cuisiner, d'un récipient à eau, de poids (parfois), d'un moule et de mastic à moule.

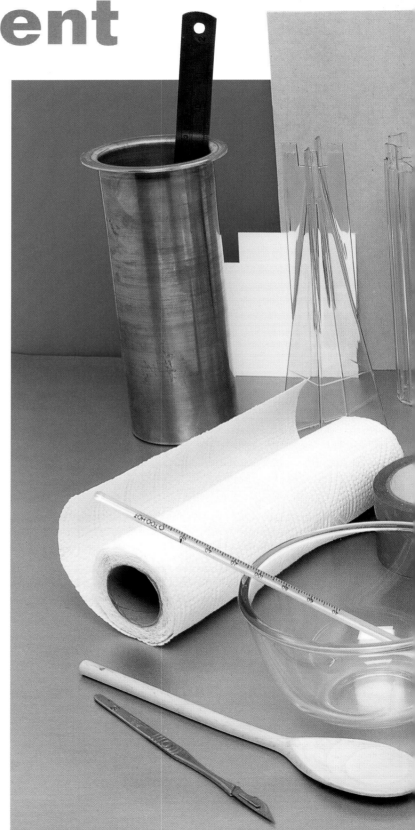

AIGUILLE À BRODER: Les aiguilles à broder sont d'épaisses et solides aiguilles employées pour faire passer les mèches par les trous des moules et pour percer des trous dans les moules en carton. Elles existent en différentes tailles.

BAIN-MARIE: Essentiel à la fabrication des chandelles, le bain-marie devrait idéalement être en aluminium ou en acier inoxydable. La paraffine s'évapore quand elle est surchauffée et peut par conséquent facilement prendre feu. La façon la plus sûre de la faire chauffer est d'utiliser un bain-marie. Déposez de l'eau dans la partie inférieure du bain-marie puis la paraffine dans la partie supérieure. Faites bouillir l'eau et laissez-la frémir pendant que la paraffine fond. Souvenez-vous d'ajouter de l'eau dans la casserole du bas afin qu'il y en ait pendant toute la durée du processus. Le contraire serait dangereux.

BAIN DE REFROIDISSEMENT ET POIDS: Tout récipient ou contenant dans lequel on peut déposer le moule avec de l'eau autour peut faire l'affaire comme bain de refroidissement pour accélérer la prise de la paraffine. Pour maintenir au fond du récipient un moule rigide, vous pouvez vous servir d'anciens poids à balance ou de galets.

BROCHETTE DE MÉTAL: Une brochette est un instrument utile pour remuer la paraffine ou la stéarine fondue. Elle s'essuie facilement avec un morceau d'essuie-tout. Ne laissez pas la brochette dans la paraffine fondue et portez des gants de cuisine pour vous protéger les mains.

CARTON ET TUBES DE CARTON: Il faut des feuilles de carton rigide pour confectionner vos propres moules, le carton glacé convenant particulièrement bien puisqu'il ne

colle pas à la paraffine (à la cire). Les rouleaux cartonnés prêts à l'usage peuvent servir de moules pour réaliser des cierges. On peut aussi transformer facilement les contenants alimentaires de carton en moules à chandelles.

CUILLÈRE : Une cuillère en bois ou en métal vous servira à mélanger paraffine, stéarine et teintures dans le bain-marie. Les teintures à paraffine devraient être écrasées avec le dos de la cuillère avant d'être ajoutées à la stéarine ou à la paraffine fondue.

CUTTER : Cet outil coupant et tranchant est précieux de bien des façons : pour tailler les mèches, pour couper les feuilles de cire d'abeille et pour découper le carton en suivant les contours des gabarits.

ESSUIE-TOUT : Tout artisan fabriquant des chandelles devrait toujours avoir sous la main un rouleau d'essuie-tout pour essuyer les dégâts, nettoyer les thermomètres, protéger les moules et maintenir la propreté sur les lieux de son travail.

MASTIC À MOULE : Ce produit collant est du mastic non durcissant, imperméable et réutilisable. On s'en sert surtout pour colmater l'ouverture par laquelle passe la mèche afin d'empêcher les fuites de paraffine. On peut aussi s'en servir pour fixer le bas des moules sur le fond du plat à cuisiner pour éviter là aussi les fuites de paraffine. On ne répétera jamais assez l'importance de l'emploi d'un mastic de bonne qualité.

MÈCHES : Les mèches à chandelles sont des ficelles spéciales faites de coton tressé traité à l'acide borique. Elles sont disponibles en diverses épaisseurs, pour s'adapter au diamètre ou à la largeur des chandelles. Il est extrêmement important de choisir la mèche appropriée à chaque chandelle. Si la mèche est trop épaisse, elle chauffera trop, ce qui fera fumer la chandelle ou dégouliner la paraffine le long de cette dernière. Si la mèche est trop fine, elle se consumera en faisant un trou dans le centre de la chandelle et la flamme sera noyée dans la paraffine fondue.

Les fabricants professionnels de chandelles classent les mèches par le nombre de fils qu'elles comportent. La taille de la mèche voulue étant déterminée par le diamètre ou la largeur de la chandelle confectionnée, la plupart des gens indiquent simplement cette mesure à leur fournisseur de matériaux. Par exemple, pour une chandelle de 5 cm de diamètre, vous demanderiez une mèche de 5 cm. Cette mèche brûlera en formant une flaque de paraffine atteignant juste le bord de la chandelle.

MOULES : Il existe un certain nombre de moules prêts à l'emploi disponibles en magasin (voir p. 14). Vous pouvez réaliser vos propres moules en vous servant de carton ou d'objets propres et creux que vous aurez dénichés autour de vous, comme les contenants alimentaires en plastique ou en carton, les bocaux de verre ou les saladiers (voir p. 20-21).

MOULES À GAUFRAGE : Vous pouvez vous procurer en magasin de petites moulures décoratives de plastique pour gaufrer les chandelles. Vous les collerez à l'intérieur des moules de carton à l'aide de colle hydrofuge. Vous pouvez aussi découper dans du carton épais et rigide des motifs de votre invention et les employer de la même façon.

PAPIER-CALQUE : Gardez du papier-calque sous la main lorsque vous préparez vos propres moules à l'aide des gabarits proposés dans cet ouvrage (voir p. 76-77).

PAPIER ORDINAIRE : Il est utile d'avoir des feuilles de papier ordinaire sous la main lorsque vous rapportez vos gabarits.

PAPIER SULFURISÉ : Ce papier sert à tapisser l'intérieur des contenants de verre pour recueillir les restants de paraffine. Vous pouvez le tremper dans la stéarine ou la paraffine que vous teintez pour vérifier la couleur qu'aura cette paraffine une fois séchée.

PLAT À CUISINER : C'est une idée très judicieuse de déposer les moules à chandelles dans un plat à cuisiner (ce qui empêchera toute fuite de cire ou de paraffine de se répandre dans le four) et de fixer les moules dans le plat avec du mastic à moule.

POINÇON (OU ALÈNE) : Cet outil sert à percer des trous dans des moules improvisés comme les contenants alimentaires en plastique ou en carton afin de pouvoir y insérer la mèche.

POT À TREMPAGE : Il vous faut un long contenant métallique cylindrique pour la cire ou la paraffine fondue lorsque vous réalisez de longues chandelles trempées à la main et des chandelles en forme de pyramide craquelée (voir p. 46-47). Ces pots à trempage existent dans une grande variété de tailles. Étant donné que ces pots spécialisés sont chers, vous pourriez utiliser de hautes boîtes de conserve à la place.

RÈGLE : Vous pouvez vous servir d'une règle en métal pour façonner une chandelle faite avec des feuilles de cire d'abeille roulées ou pour marquer les lignes de pliage d'un moule en carton.

RONDELLE À MÈCHE : Vous utiliserez ces rondelles métalliques comportant un trou dans leur centre pour fixer la mèche au fond d'un moule qui n'a pas de trou, par exemple un bocal de verre. Faites passer la mèche par le trou et pincez le métal pour coincer la mèche.

RUBAN ADHÉSIF : Pour la fabrication de moules de carton, on se sert souvent de ruban adhésif à deux faces et de ruban adhésif d'emballage pour l'extérieur afin de rendre le moule étanche. On se sert aussi de papier cache adhésif pour marquer sur le moule le niveau jusqu'auquel on doit le remplir au moment de la confection de chandelles à rayures.

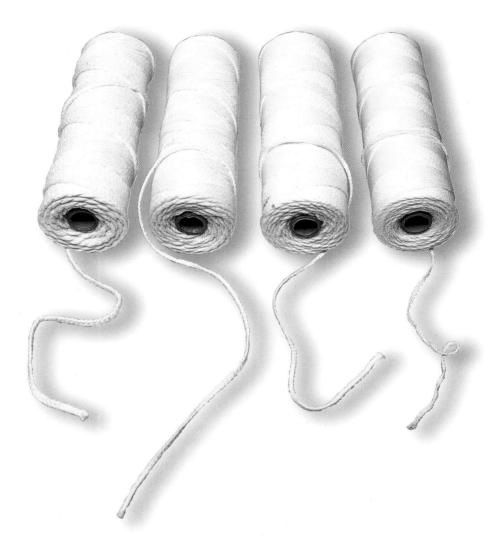

SALADIERS DE VERRE : Il est toujours bon d'avoir sous la main quelques petits saladiers de verre, qui pourront servir à peser la paraffine, feront office de récipients à eau ou permettront d'entreposer de petits restants de paraffine pouvant être utilisés ultérieurement.

SOURCE DE CHALEUR : Les chandelles peuvent être confectionnées dans la cuisine à l'aide d'une cuisinière électrique ou à gaz. Vous pouvez cependant vous servir d'un petit réchaud de camping si vous disposez d'un lieu indépendant de travail en dehors de la cuisine.

SUPPORT À MÈCHE : Vous pouvez employer des cure-dents ou des tiges de bois (brochettes) pour maintenir droites vos mèches au centre du moule pendant que vous y versez la

paraffine fondue. Il suffit pour cela d'enrouler ou de nouer la mèche autour de la tige, qui s'appuie alors en travers sur les bords du moule et garde la mèche verticale.

THERMOMÈTRE : Le contrôle de la température est crucial dans la confection des chandelles. La qualité du produit fini dépend souvent de la justesse de la température et du moment précis du transvasement. Le thermomètre devrait pouvoir mesurer des températures comprises entre 38 °C (100 °F) et 121 °C (250 °F). Lorsque vous retirez le thermomètre de la paraffine, assurez-vous de toujours le nettoyer complètement avec un essuie-tout. Vous pouvez utiliser un thermomètre spécialisé vendu par les fournisseurs de matériel de fabrication de chandelles ou un thermomètre de confiseur.

cires

Bien entendu, la cire (terme générique) est le principal ingrédient employé dans la confection des chandelles. Il y en a deux sortes : la paraffine et la cire d'abeille. Chacune d'elles a des qualités différentes et s'utilise de diverses façons ou selon diverses combinaisons en fonction de la chandelle que l'on veut créer. La paraffine est le produit le plus utilisé parce qu'elle est relativement bon marché, facilement disponible et qu'on peut la teinter de n'importe quelle couleur, nuance ou teinte. Il existe aussi un certain nombre de cires spéciales qui servent d'adjonction ou de décoration.

CIRE D'ABEILLE : Plus chère que la paraffine, la cire d'abeille est un produit naturel qui dégage un délicieux parfum de miel. On la trouve sous forme de blocs ou de feuilles avec un motif alvéolaire imprimé à sa surface. On fait fondre les blocs et on moule la cire comme on le fait avec la paraffine. Quant aux feuilles, on les emploie pour faire des chandelles roulées. À température ambiante, les feuilles de cire d'abeille sont souples, flexibles et extrêmement faciles à travailler. Sous sa forme naturelle, la cire d'abeille est blonde, mais on la trouve également sous une forme décolorée blanche ou teintée dans une grande variété de couleurs.

CIRE GÉLATINEUSE : La cire gélatineuse est un produit relativement récent qui a l'apparence de la gélatine ainsi que son nom le laisse entendre. Étant donné qu'elle ne durcit pas comme la cire ordinaire, au lieu de la couler dans un moule et de la démouler, on la coule dans des contenants, de verre préférablement, dans lesquels on la laisse.

CIRE POUR APPLICATION : Ainsi que son nom le laisse entendre, cette cire se présente sous la forme de feuilles très minces, faciles à découper et à appliquer sur la chandelle, qui permettent de créer des effets décoratifs. Ce qu'il y a de bien avec cette cire, c'est qu'on peut l'appliquer simplement par pression sur la chandelle sans devoir employer de colle. On la trouve dans tous les coloris, sous forme de lettres et de chiffres pré-coupés, ainsi qu'avec des finis métallisés.

CIRE POUR MOULAGE ET MODELAGE : Cette cire molle est disponible en petites quantités déjà colorées que l'on peut mouler et modeler à la main ou avec des formes à biscuits pour créer de petites chandelles ou des chandelles flottantes. Elle est particulièrement facile d'emploi pour les enfants.

COLLE À CHANDELLE : C'est une cire qui est extrêmement collante. On en fait fondre une petite quantité dans un bain-marie avant de coller quelque forme de décoration que ce soit à la surface de la chandelle.

PARAFFINE : On se sert parfois du terme générique *cire* pour désigner cet ingrédient de base de presque toutes les techniques utilisées pour la confection de chandelles. Produit dérivé du processus de raffinement du pétrole brut, la paraffine est translucide, inodore et insipide. On la trouve dans le commerce sous forme de boulettes, faciles à employer, ou de tablettes, que l'on doit casser en morceaux avant de les utiliser. À température ambiante, la paraffine est dure et son point de fusion varie de 40 °C à 71 °C (104 °F à 160 °F). Quand elle fond, elle est incolore et liquide. Elle se solidifie très rapidement dès qu'on la retire du feu. Quand elle n'est pas encore solidifiée, elle est facile à couper, à mouler et à incruster.

PARAFFINE PRÊTE À L'EMPLOI : On peut se procurer dans le commerce des boulettes de paraffine déjà colorées contenant la quantité voulue de stéarine et de teinture.

Ces boulettes peuvent être mélangées pour créer d'autres couleurs ou être employées avec de la paraffine incolore afin d'obtenir des tons plus pâles.

PLASTIFIANTS : On les ajoute en proportions variées à la paraffine pour modifier le temps de durcissement. Le plasti-fiant mou permet à la cire de rester souple et malléable plus longtemps, ce qui en facilite le modelage. Le plastifiant dur est très dur et très cassant lorsqu'il est solide et il a un point de fusion plus élevé que celui de la paraffine. On l'utilise dans une proportion de 1 % par rapport à la paraffine pour donner du corps aux chandelles et faire en sorte qu'elles brûlent plus lentement.

STÉARINE : On ajoute souvent cette substance à la paraffine dans une proportion de une part pour neuf. Elle améliore la qualité de la combustion et l'opacité de la chandelle. Elle permet aussi de détacher plus aisément les chandelles des moules rigides.

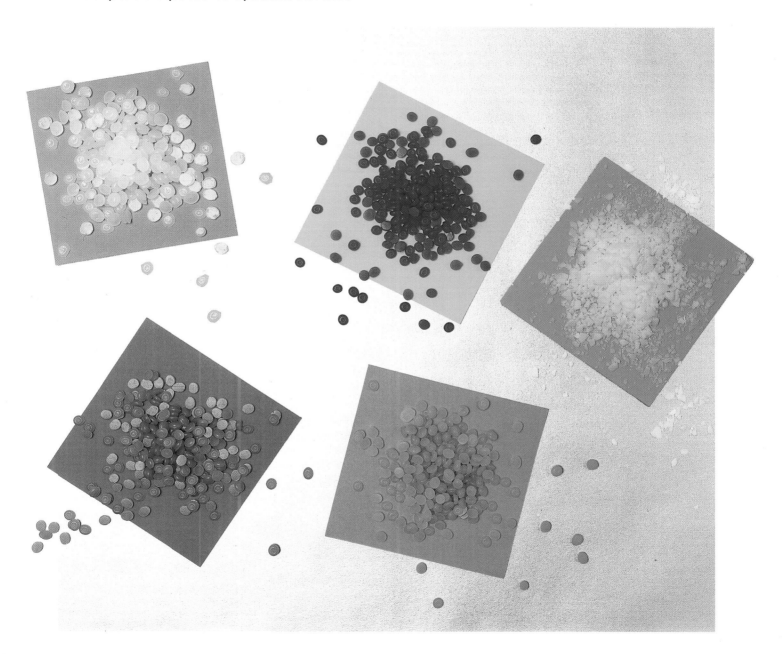

moules prêts à l'emploi

On trouve dans le commerce des moules prêts à l'emploi de toutes les formes et tailles. Les moules rigides sont faits de plastique, de verre ou de métal et ils tiennent en général debout tout seuls. Les moules coniques ou pyramidaux sont quant à eux vendus avec un petit support. Les moules élastiques sont en caoutchouc et ils nécessitent un support cartonné (voir p. 19).

MOULES EN PLASTIQUE TRANSPARENT : Ce sont les moules les plus employés dans cet ouvrage. Les moules en plastique transparent sont solides, bon marché et, étant donné qu'ils sont transparents, ils sont pratiques quand on confectionne des chandelles multicolores ou comportant des effets spéciaux. Les chandelles sphériques ou ovoïdes peuvent être confectionnées à partir de moules constitués de deux parties. Attention, lorsque vous utilisez des moules de plastique transparent, vous ne devriez pas faire chauffer la paraffine à plus de 82 °C (180 °F).

MOULES ÉLASTIQUES : Ces moules viennent dans une variété de formes et de tailles. Étant donné qu'ils sont fabriqués dans un matériau très flexible, le caoutchouc, ils peuvent servir à réaliser des formes très élaborées et irrégulières comportant des dénivelés, des détails et de grands reliefs. Par contre, ils sont délicats à manier quand ils sont remplis de paraffine chaude et, avec le temps, ils se détendent et se détériorent. Avec ces moules, employez de la paraffine chauffée à un maximum de 93 °C (200 °F).

MOULES DE VERRE : Ce type de moule donne des chandelles au fini très brillant mais il est relativement fragile et se limite à des formes cylindriques. La température de la paraffine ne devrait pas dépasser 82 °C (180 °F) lorsque vous versez cette dernière dans des moules de verre.

MOULES DE MÉTAL : Les moules de métal coûtent plus cher que les moules de plastique transparent, mais ils sont plus solides, font refroidir la paraffine rapidement et durent plus longtemps. On peut y verser de la paraffine chauffée jusqu'à une température de 90 °C (195 °F).

NÉCESSAIRE DE FABRICATION DE MOULES : Vous pouvez réaliser vos propres moules élastiques en caoutchouc en utilisant un nécessaire spécial que vous trouverez chez les fournisseurs spécialisés dans le domaine. Il comprend une solution de latex et un durcisseur que l'on badigeonne sur l'objet choisi, par exemple un fruit ou un galet. Suivez attentivement les instructions du manufacturier lorsque vous fabriquez des moules de caoutchouc. La paraffine versée dans de tels moules doit être chauffée à 93 °C (200 °F).

adjonctions

Vous pouvez ajouter des teintures et des senteurs à vos chandelles pour les personnaliser encore davantage. Certaines des réalisations proposées dans ce livre vous montrent même comment ajouter des objets tridimensionnels à vos chandelles, entre autres des coquillages, des pastilles de verre et de petits carreaux de mosaïque.

TEINTURE EN PASTILLES : Vous trouverez des pastilles de teinture dans une multitude de coloris. Vous pouvez les combiner pour créer d'autres tons. Pour obtenir la couleur de base voulue, le manufacturier indique sur l'emballage la quantité à utiliser. Pour de petites quantités de paraffine, la seule possibilité est d'y aller à tâtons. N'hésitez pas à combiner les couleurs ou à en utiliser autant ou aussi peu que vous le désirez pour créer exactement la teinte que vous voulez.

Les teintures en pastilles n'étant pas aussi stables que les teintures en poudre, des couleurs voisines dans une chandelle peuvent à la longue finir par déteindre l'une sur l'autre.

TEINTURES EN POUDRE : Ces teintures sont très tenaces et sont en général employées dans la fabrication commerciale des chandelles. Pour obtenir un ton très dense, il n'en faut qu'une infime quantité. On se sert de ces teintures surtout pour les cires gélatineuses.

SENTEURS : Les senteurs que l'on utilise dans la confection de chandelles viennent sous des formes variées. Elles doivent être à base d'huile pour pouvoir se dissoudre dans la paraffine. Il ne faut pas employer de senteurs à base d'alcool. On trouve dans le commerce des huiles parfumées et des perles de cire parfumées qui sont expressément conçues pour la fabrication des chandelles et n'altèrent en aucune façon la qualité de leur combustion. Il suffit de suivre les instructions du fabricant pour savoir quelle quantité utiliser. Les huiles essentielles destinées à l'aromathérapie, les herbes aromatiques séchées ou fraîches, les fleurs et les épices sont des matériaux naturels qui ne se combinent pas toujours bien avec la paraffine ou qui ne brûlent pas bien. Il faut donc faire des essais à petite dose en premier lieu. La réalisation proposée aux p. 72-74, *Senteurs essentielles*, emploie des huiles essentielles qui ont été testées et qui fonctionnent bien avec la paraffine.

Une fois que vous avez choisi la senteur, il vous suffit de l'ajouter à la paraffine fondue avant de verser celle-ci dans le moule. La fragrance se dégagera à la combustion.

fabrication des chandelles

Les principes de fabrication des chandelles sont restés quasiment les mêmes qu'autrefois, même si la technologie moderne met à notre disposition des matériaux et de l'équipement de qualité nettement supérieure. On peut fabriquer des chandelles avec ou sans moules, en une myriade de couleurs, formes et textures. Les techniques simples présentées ci-après constituent la base sur laquelle reposent presque toutes les réalisations proposées dans cet ouvrage. Étant donné que la fabrication de chandelles est un art faisant appel à une grande créativité (et réservant parfois des surprises aux débutants), ces réalisations servent non seulement à vous instruire mais également à inspirer l'artisan en herbe. Ce dernier pourra ainsi ajouter sa touche personnelle, créer ses propres couleurs ou fabriquer ses propres moules en se servant des techniques présentées.

calcul des quantités de paraffine et de stéarine requises

Gardez à l'esprit qu'il vaut mieux chauffer trop de cire que pas assez étant donné que vous pourrez conserver les restes et les faire refondre plus tard pour d'autres créations. Plus vous aurez l'habitude de travailler avec la cire, plus vous serez apte à juger à l'œil des quantités voulues. Pour commencer, il est bon de suivre une formule de base quand vous calculez la quantité de cire dont vous avez besoin. Remplissez d'eau le moule dont vous allez vous servir, versez ensuite cette eau dans un pot à mesurer. En règle générale, vous pouvez compter sur le fait que 100 ml (5 oz) de liquide correspondent approximativement à 100 g (5 oz). Pour chaque 100 ml (5 oz) d'eau, vous devrez employer 90 g (4 1/2 oz) de paraffine et 10 g (1/2 oz) de stéarine. La règle, c'est de toujours mélanger 90 % de paraffine à 10 % de stéarine. Par contre, si vous travaillez avec des moules de caoutchouc, vous n'avez pas besoin d'employer de stéarine et vous devez utiliser seulement de la paraffine. Dans le cas où vous employez de la paraffine préparée commercialement, vous devez aussi utiliser uniquement de la paraffine.

Quand vous confectionnez des chandelles multicolores, vous devez diviser la quantité totale de paraffine par le nombre de couleurs. Avec la cire gélatineuse, il vous faudra juger à l'œil de la quantité de gélatine dont vous avez besoin pour remplir le moule et tailler dans le bloc un morceau correspondant.

chauffage de la stéarine

Déposez la quantité voulue de stéarine dans le bain-marie et faites-la fondre jusqu'à l'obtention d'un liquide clair. On ne doit pas employer de stéarine dans les moules en caoutchouc.

adjonction de teinture à la stéarine ou à la paraffine

Le fabricant de pastilles de teinture fournit toujours des instructions, mais on peut affirmer de façon générale qu'il faut une pastille entière de teinture pour colorer environ 2 kg (4 1/2 lb) de paraffine. Pour colorer des quantités plus petites, il vous faudra procéder à tâtons. Avec un *cutter*, vous pouvez couper les pastilles de teinture en petits morceaux, que vous écraserez ensuite avec le dos d'une cuillère. N'ajoutez que de petites quantités à la fois, vérifiez la teinte et rajoutez-en si vous désirez foncer la couleur. Faites un essai de couleur avec du papier sulfurisé en trempant simplement ce dernier dans la stéarine. Laissez-le sécher et vérifiez ensuite si la couleur vous convient.

Si vous travaillez avec un moule en caoutchouc et par conséquent n'employez pas de stéarine, il vous suffit d'ajouter la teinture à la paraffine et de procéder de la même façon pour tester la couleur.

ajout de paraffine

Ajoutez la quantité voulue de paraffine à la stéarine colorée et faites chauffer au bain-marie jusqu'à ce qu'elles soient complètement fondues.

ajout d'essences parfumées

Si vous faites une chandelle parfumée, c'est à cette étape que vous devez ajouter vos essences parfumées. Il suffit d'en ajouter quelques gouttes à la paraffine fondue.

coloration de la cire gélatineuse

Les teintures en poudre sont extrêmement concentrées et sont en général employées dans la fabrication commerciale des bougies, lorsqu'il faut teindre une très grande quantité de cire. Avec de la cire gélatineuse, c'est la meilleure teinture à employer. Il suffit d'une quantité infime de teinture pour obtenir une couleur très foncée. La couleur que vous voyez dans le bain-marie est presque la couleur finale (1). Faites particulièrement attention de ne pas éclabousser vos vêtements ou vos surfaces de travail de cire teintée, car elle marque fortement et les taches seront tenaces.

vérification de la température

Faites chauffer la paraffine à la température indiquée. Laissez le thermomètre dans la paraffine et ne surchauffez pas cette dernière, car elle pourrait prendre en feu. En règle générale, la paraffine utilisée dans des moules de plastique rigide, de verre ou de carton devrait être chauffée à 82 °C (180 °F) et celle employée avec les moules élastiques, à 93 °C (200 °F). Quant à la cire gélatineuse, il suffit de la faire chauffer jusqu'à ce qu'elle soit totalement fondue.

trempage de la mèche

Coupez la longueur de mèche dont vous avez besoin pour votre création et plongez-la ensuite dans la paraffine fondue qui se trouve dans le bain-marie (2). Étendez-la droite sur un morceau de papier sulfurisé. La paraffine refroidira rapidement et la mèche se rigidifiera et durcira. Elle sera alors prête à l'emploi. Le trempage de la mèche permet de vous assurer

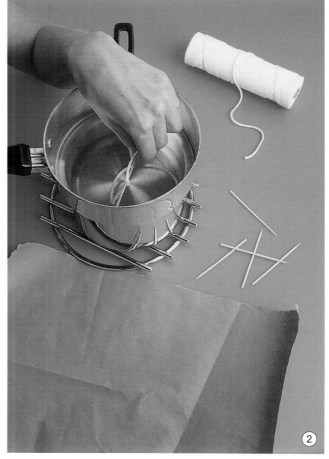

que la mèche est totalement enduite de paraffine et donc qu'elle brûle mieux. Vous pouvez préparer vos mèches d'avance, autant de mèches que vous voulez et de la longueur que vous désirez.

Par contre, si vous travaillez avec un moule flexible, ne trempez pas votre mèche, étant donné que l'emploi d'une mèche non trempée permet de limiter les risques de débordement.

mise en place de la mèche

Lorsque vous utilisez un moule rigide, assurez-vous que la mèche mesurera 5 cm (2 po) de plus que la hauteur de la chandelle finie. Trempez-la comme indiqué à la rubrique *Trempage de la mèche* et faites-la passer à travers le trou situé au fond du moule. Attachez solidement la mèche à une tige de support appropriée, que vous déposerez sur le rebord du moule. Tendez bien la mèche et fixez-la sur le fond du moule à l'aide d'un petit morceau de mastic.

Lorsque vous utilisez un moule en caoutchouc, procédez de la même façon en ce qui concerne la longueur de la mèche. Ensuite, enfilez la mèche non trempée dans une aiguille à broder, puis faites-la doucement pénétrer par la base du moule. Colmatez-y le trou avec du mastic à moule. Ensuite, fixez la mèche à une tige de support que vous déposerez sur le rebord du moule.

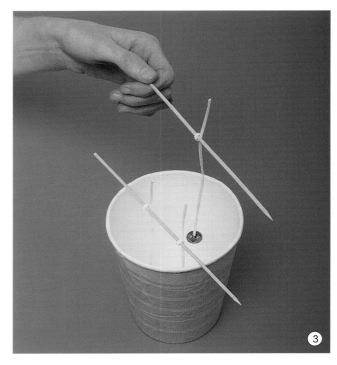

mèches multiples

Les chandelles qui sont larges, qui ont un grand diamètre ou une forme inhabituelle nécessitent souvent plus d'une mèche pour que la paraffine puisse s'y consumer de façon égale. Pour cela, à l'aide de tiges de bois appropriées, suspendez dans le moule deux longueurs de mèche enduite ou plus, en vous assurant que celles-ci sont disposées à distances égales (3).

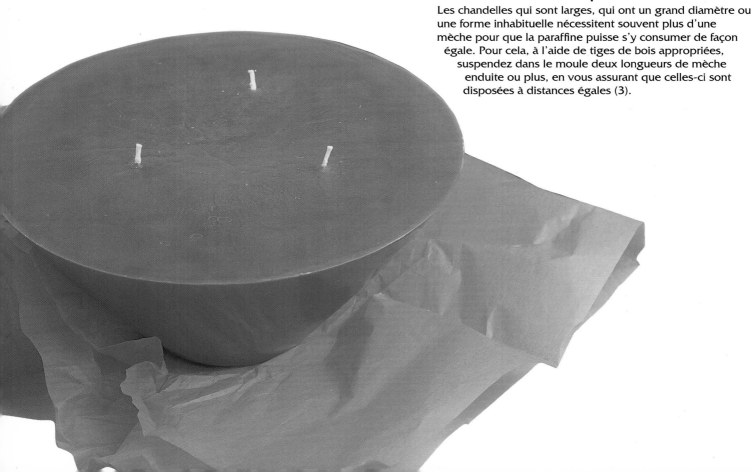

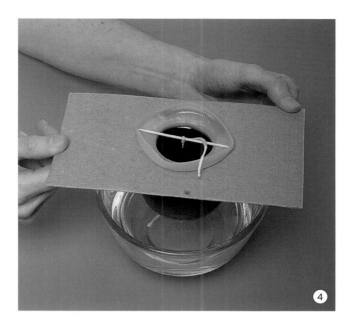

démoulage

Si vous avez utilisé un moule rigide, une fois que la
chandelle est froide, enlevez le mastic à moule et faites
glisser la chandelle hors du moule. Coupez la mèche en bas
et déposez la chandelle dans le bain-marie vide pour faire
fondre la base et l'égaliser. En haut, taillez la mèche pour
n'en laisser sortir que 1 cm (1/2 po). La chandelle est
maintenant prête à l'usage.

support pour moule
en caoutchouc

Pour installer un moule flexible dans un bain de refroidissement plein d'eau et pouvoir le remplir de paraffine fondue,
vous aurez besoin d'un morceau de carton très rigide plus
grand que l'ouverture du récipient. Au centre du carton,
découpez un trou suffisamment grand pour que le bord
du moule puisse s'y adapter. Installez ensuite le carton
sur le récipient.

remplissage du moule

Que vous utilisiez un moule flexible ou un moule rigide,
remplissez-le jusqu'à ras bord de paraffine fondue. Ménagez
un peu de paraffine pour le rajout final. Attendez une minute
ou deux, puis tapotez légèrement les parois du moule pour
permettre à toute bulle d'air emprisonnée de s'échapper.
Faites ensuite descendre lentement le moule dans le bain de
refroidissement en évitant les éclaboussures. Vous pouvez
si vous le voulez déposer un poids sur les moules rigides
pour les maintenir en place. Pour les moules flexibles,
déposez le carton rigide où est enfilé le moule sur les
bords du récipient.

rajout de cire

Une heure après avoir rempli votre moule, piquez la
paraffine tout autour de la mèche à l'aide d'un cure-dents.
Rajoutez de la cire que vous aurez fait chauffer de nouveau
à la température voulue et laissez refroidir complètement.

Si vous utilisez un moule flexible, une fois que la paraffine
est complètement figée, retirez le moule du bain de refroidissement et enduisez légèrement toute sa surface d'un peu
de savon liquide. Pour dégager la chandelle, enlevez le mastic à moule et séparez délicatement le moule de la paraffine
en déroulant ce dernier (5). À l'aide d'un *cutter*, enlevez tout
excès de paraffine se trouvant sur le bord de la chandelle.

entreposage de la cire ou
de la paraffine inutilisée

La cire qui vous reste devrait être entreposée dans un saladier
dont vous aurez tapissé le fond de papier sulfurisé. Quand la
cire est complètement refroidie, on peut la conserver dans un
sac en plastique et l'utiliser ultérieurement en la réchauffant.

moules
maison

Vous pouvez faire appel à plusieurs méthodes pour créer vos propres moules. D'abord vous servir de contenants que vous aurez trouvés, comme des pots de yogourt, des raviers, bols et saladiers. Ensuite, fabriquer des moules géométriques à l'aide de carton. Et enfin, créer des formes plus complexes en utilisant un nécessaire pour confectionner un moule en caoutchouc.

moules improvisés

Presque n'importe quel récipient étanche peut servir de moule : boîtes de conserve, rouleaux de carton, pots de yogourt, contenants cartonnés de lait ou de jus de fruits, bocaux de verre, saladiers, bols et raviers, ou même des coquilles de noix de coco. La seule chose à prendre en considération est la forme. Le moule devra avoir des côtés verticaux ou légèrement rentrés vers le bas. Un moule dont les côtés sont rentrés vers le haut est moins pratique puisqu'il faudra le casser pour pouvoir en retirer la chandelle.

Percez un trou dans le fond du moule et passez-y la mèche préparée. Colmatez ensuite le trou avec un peu de mastic à moule. Dans le cas des moules rigides, dans lesquels on ne peut pas faire de trou, la mèche sera attachée à une rondelle à mèche fixée au fond du moule avec du mastic. La paraffine fondue que vous y coulerez devra avoir une température de 82 °C (180 °F). Vous aurez peut-être à déchirer le moule en carton ou en plastique que vous aurez employé pour pouvoir en sortir la chandelle.

confection d'un moule en caoutchouc

Il est facile de réaliser un moule en latex flexible en se servant d'un objet non poreux. Déposez l'objet en question sur une soucoupe ou une petite assiette retournée. Appliquez plusieurs couches de la solution de latex en vous servant d'un pinceau et en laissant bien sécher chaque couche entre les applications. Vous devrez répéter les applications jusqu'à l'obtention d'une couche d'une épaisseur de 3 mm (1/8 po). Quand vous passez la dernière couche, mélangez le latex avec l'agent épaississant fourni, dans une proportion de 1 unité pour 20. Lorsque le caoutchouc est sec, déroulez-le délicatement en le décollant de l'objet. Percez un trou à la base du moule et faites-y passer une mèche non préparée. Colmatez le trou avec du mastic. Coulez-y ensuite de la paraffine fondue (non additionnée de stéarine) chauffée à 93 °C (200 °F). Suivez dans tous les cas les instructions fournies par le fabricant.

emploi de contenants sans fond

Pour faire des cierges, on peut se servir de tubes de carton ou de plastique, entre autres les tubes de papier hygiénique ou d'essuie-tout et les tuyaux de PVC. Pour leur faire un fond, il suffit de déposer le tube en question sur un petit morceau de papier cartonné et de sceller la base du tube sur le carton avec du mastic. Percez ensuite un trou dans le carton en vous servant d'une aiguille à broder. Faites passer la mèche préparée par ce trou après l'avoir enfilée dans l'aiguille (1). Coulez la chandelle comme à l'ordinaire en vous servant de paraffine chauffée à 82 °C (180 °F). Quand la paraffine a refroidi, coupez le tube en vous servant d'un *cutter* et retirez-en la chandelle.

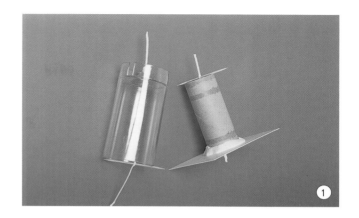

confection de votre propre moule en carton

Les moules rigides peuvent être réalisés avec du carton lisse ou du carton ondulé. Il suffit de le plier en suivant les lignes des gabarits, ceux fournis dans cet ouvrage ou ceux que vous aurez dessinés. Tracez les marques du gabarit sur le carton et découpez. Pliez ensuite le carton selon la forme voulue et fixez les parties qui se chevauchent avec du ruban adhésif double (2). Scellez les angles avec du ruban adhésif d'emballage et enroulez le moule dans du ruban adhésif d'emballage pour prévenir toute fuite (3). Percez un ou des trous dans le fond du moule et faites-y passer la ou les mèches apprêtées. Colmatez ensuite l'ouverture avec du mastic (4). Coulez la chandelle comme à l'ordinaire en y versant de la paraffine chauffée à 82 °C (180 °F). Laissez refroidir. Pour démouler la chandelle, coupez le carton à l'aide d'un *cutter*.

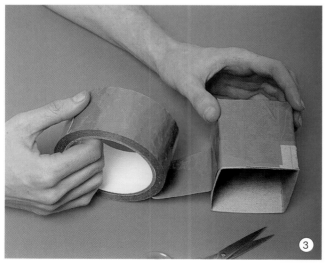

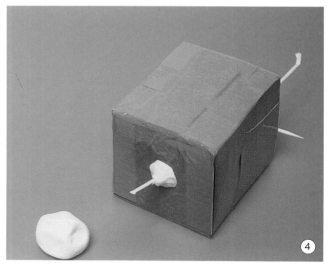

effets spéciaux

chandelles craquelées

Le délicat effet de craquelures peut être obtenu sur toute chandelle aux parois lisses. Ce traitement se fait particulièrement remarquer dans le cas de chandelles aux coloris intenses.

Faites chauffer à 88 °C (190 °F) suffisamment de paraffine incolore pour pouvoir remplir à 90 % un pot à trempage, c'est-à-dire qu'il faut assez de paraffine fondue pour que la chandelle trempée dans ce pot puisse être entièrement couverte sans que la paraffine déborde. Remplissez un seau d'eau froide et ajoutez-y des glaçons pour que l'eau soit glacée. Versez la paraffine fondue incolore dans le pot à trempage. Tenez la chandelle déjà faite par la mèche et plongez-la dans la paraffine fondue une fois. Après cela, plongez-la immédiatement dans l'eau glacée. Lorsque vous la retirerez, vous remarquerez que de minuscules craquelures sont apparues partout sur ses parois.

chandelles givrées

On réalise cet effet, qui plaît beaucoup, simplement en versant la paraffine dans le moule à une très basse température.

Lorsque la paraffine a fondu dans le bain-marie, retirez la casserole du feu et laissez la paraffine refroidir en prenant soin de la remuer sans arrêt afin d'empêcher la formation d'une pellicule à sa surface. Pendant que vous battez la paraffine et que celle-ci refroidit, vous verrez une légère écume se former à sa surface. Versez de la paraffine dans le moule et, avec la main, faites tourner celui-ci de manière que la paraffine vienne adhérer sur ses parois. Reversez la paraffine dans le bain-marie et battez-la de nouveau jusqu'à ce qu'elle mousse. Remplissez le moule de cette paraffine mousseuse puis rajoutez un peu de paraffine chauffée à 65 °C (150 °F) sur le dessus.

chandelles avec inclusions

On peut inclure de petits objets tridimensionnels (coquillages, fleurs séchées, feuilles et fruits tranchés) dans la paraffine molle qui vient d'être coulée dans le moule de façon que ceux-ci soient visibles de l'extérieur une fois que la chandelle sera dégagée du moule.

Coulez la chandelle comme à l'ordinaire. Attendez 10 minutes environ. Une épaisse pellicule d'environ 1 cm (1/2 po) se sera formée à la surface de la paraffine. À l'aide d'un couteau, faites un trou dans cette pellicule et reversez la paraffine encore fondue du centre dans le bain-marie. Tout en travaillant rapidement puisque la paraffine refroidit vite, faites pénétrer fermement dans la paraffine molle sur les

parois du moule les objets que vous avez choisis (1). Laissez la paraffine se figer. Faites refondre la paraffine qui se trouve dans le bain-marie et reversez-la dans le moule à une température n'excédant pas 73 °C (165 °F). Laissez prendre.

chandelles avec incrustations

Vous pouvez recouvrir de l'extérieur les parois de votre chandelle de menus objets qui y seront partiellement incrustés.

En premier lieu, fabriquez une chandelle ordinaire. Mettez cette chandelle dans un moule légèrement plus grand que le premier. Versez à la main ou à la cuillère les objets de votre choix (graines, pastilles de verre, etc.) entre les deux parois. Faites fondre un supplément de paraffine à 82 °C (180 °F) et versez-la à la cuillère dans l'interstice jusqu'à une hauteur un peu plus élevée que la première chandelle. Laissez prendre comme à l'accoutumée et démoulez.

chandelles gaufrées

Vous pouvez obtenir un bel effet de gaufrage en collant sur les parois intérieures de votre moule, avant de couler la chandelle, des moulures de plastique ou des découpages de carton épais. Tout d'abord, tracez le contour du gabarit, découpez le carton et rapportez-y les lignes de pliage. Utilisez une colle hydrofuge domestique pour fixer les moulures ou les découpages sur les parois intérieures du

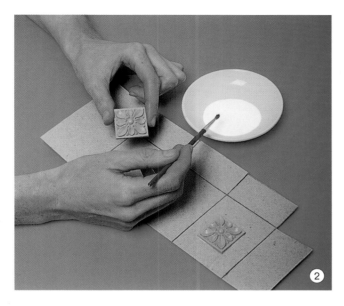

moule (2). Vous pouvez aussi utiliser du carton avec des motifs déjà gaufrés pour faire le moule ou coller ces motifs sur les parois du moule. Confectionnez le moule et coulez votre chandelle comme d'habitude. Quand la paraffine a refroidi, coupez le moule avec un *cutter* pour en retirer la chandelle.

chandelles réalisées avec de la glace pilée

On obtient cet effet spectaculaire en disposant une chandelle déjà faite dans un moule plus grand qu'elle et en l'entourant d'une épaisseur de glace pilée, sur laquelle on vient verser de la paraffine fondue.

Prenez une chandelle un peu plus courte et plus petite que votre moule. Pour travailler avec cette technique, il vous faut une chandelle qui n'ait pas plus de 2,5 cm (1 po) de diamètre. Coupez la chandelle si nécessaire. Disposez-la dans le moule et attachez la mèche à une tige de support appropriée. Ne scellez pas le trou du fond du moule. Remplissez de glace grossièrement pilée l'interstice entre la chandelle et le moule et déposez le moule dans un saladier vide ou sur une assiette où l'eau de la glace fondue viendra se déverser. Versez la paraffine chauffée à 99 °C (210 °F) sur la glace et laissez refroidir (3).

cierge à texture d'ananas concassé

On réalise cette texture intéressante simplement en faisant refroidir un peu de paraffine dans de l'eau froide, qui fait figer celle-ci en brins fragiles.

Préparez votre moule et faites chauffer la paraffine comme à l'accoutumée. Versez une partie de la paraffine en un filet régulier dans un saladier rempli d'eau froide. La paraffine se solidifie en formant des brins irréguliers dès qu'elle entre en contact avec l'eau froide. Retirez ces brins de l'eau et remplissez-en le moule sans trop les tasser. Laissez le restant de la paraffine refroidir jusqu'à 65 °C (150 °F) et versez-la dans le moule. Ajoutez ensuite sur le dessus un peu de paraffine chauffée à la même température.

chandelles à rayures

Vous pouvez employer des paraffines de couleurs différentes pour réaliser des chandelles à rayures. Il vaut mieux pour cela utiliser un moule en plastique transparent, qui vous permettra de voir les étages de paraffine. Si vous préférez par contre employer un moule particulier, il vous suffira de faire à l'extérieur du moule des marques au crayon ou au stylo, ou bien de coller des morceaux de ruban adhésif, pour vous guider dans le remplissage du moule.

Faites chauffer votre paraffine colorée à 82 °C (180 °F). Versez-la dans le moule jusqu'à la hauteur désirée. Laissez passer quelques minutes et tapotez doucement les parois du moule pour que les bulles d'air emprisonnées soient libérées. Laissez la première couche de paraffine se figer jusqu'à ce que sa surface soit caoutchouteuse au toucher. Pendant que vous attendez, faites chauffer la couleur suivante à la même température. Versez-la sur la première couche. Répétez le processus autant de fois que vous avez de couleurs. Rajoutez un peu de paraffine sur la dernière couche et laissez refroidir.

mesures
de sécurité

La réalisation de chandelles est un art relativement simple qui peut s'effectuer en toute sécurité dans votre cuisine familiale. Il est cependant important de suivre certaines lignes directrices pour éviter les accidents et d'éventuelles blessures.

chauffage de la paraffine

Il faut manipuler la paraffine comme on manipule de l'huile à friture, c'est-à-dire avec beaucoup de précautions. Il ne faut jamais la surchauffer ni la laisser sans surveillance pendant qu'elle chauffe. Faites toujours chauffer la paraffine dans un bain-marie. Assurez-vous que la température n'excède jamais 100 °C (212 °F). Contrôlez fréquemment et attentivement la température avec un thermomètre.

Si la paraffine est chauffée à une température excédant 100 °C (212 °F), elle commencera à fumer et il y aura vraiment des risques qu'elle prenne feu. Si cela devait se produire, éteignez immédiatement le gaz ou l'électricité et étouffez les flammes à l'aide d'un torchon trempé ou d'un couvercle. N'essayez jamais d'éteindre un feu avec de l'eau.

préparation des lieux de travail

Recouvrez les surfaces de travail de papier journal. Cela vous permettra de maintenir vos comptoirs propres et de réceptionner les gouttes et les débordements de paraffine. Lorsque vous versez de la paraffine chaude dans un moule maison, il est bon de mettre ce moule dans un plat à cuisiner ou sur une assiette plate, au cas où il ne serait pas hermétique et où la paraffine fuirait. L'autre avantage à cela est que vous pourrez récupérer la paraffine qui a fui pour la réutiliser plus tard.

Assurez-vous que les moules et votre équipement sont toujours propres. Lavez-les dans de l'eau chaude savonneuse immédiatement après usage. Attention de ne jamais verser de paraffine dans l'évier car elle se solidifierait dans le coude et obturerait votre bonde d'écoulement.

En dernier lieu, essayez d'avoir tout votre équipement sous la main ; comme il est essentiel de surveiller constamment la paraffine pendant qu'elle chauffe, il ne faut pas que vous ayez à chercher quoi que ce soit durant ce temps.

quoi faire en cas de dégâts

Bien que cela ne soit pas absolument nécessaire, il est recommandé de porter un tablier pendant que vous faites des chandelles, au cas où il y aurait des dégâts. En général, on peut enlever la paraffine tombée sur des vêtements en repassant ces derniers entre deux feuilles de papier kraft. Ce dernier absorbera la paraffine. Si de la paraffine tombe sur le plancher ou sur une surface dure, il suffit de la laisser durcir et ensuite de la racler avec une spatule. Pour de petites gouttes, on racle avec un ongle. Il est bon de se souvenir d'une chose : certaines paraffines sont plus fortement colorées que d'autres et pourraient laisser des auréoles.

précautions à prendre avec les chandelles

Après avoir travaillé dur à la réalisation de vos chandelles, c'est le moment d'apprécier les fruits de votre labeur. Il faut tenir compte de quelques notions. Ne laissez jamais une chandelle brûler sans surveillance et souvenez-vous d'installer les chandelles dans des endroits sûrs, à l'abri des courants d'air et loin des meubles, rideaux ou tout autre matériau inflammable. Assurez-vous qu'il y a toujours suffisamment d'espace au-dessus de la chandelle pour permettre à la chaleur de se disperser, une précaution importante à se rappeler si vous disposez des chandelles sur des étagères.

Assurez-vous de choisir un chandelier ou bougeoir approprié. Adoptez ceux qui sont stables, résistants à la chaleur et non susceptibles de se renverser. Si vous employez un bougeoir muni d'une pointe, chauffez d'abord cette pointe avec une allumette pour éviter que la base de la chandelle ne se casse lorsque vous l'y enfoncerez.

Ne faites jamais brûler de chandelles à proximité d'une autre source de chaleur ou d'un appareil électrique.

Souvenez-vous de garder toujours les chandelles hors de la portée des enfants et des animaux domestiques. Pour éteindre une chandelle, il vaut mieux se servir d'un éteignoir plutôt que juste souffler sur la flamme. Si la chandelle est grosse ou dans un contenant, il est possible qu'il y ait un trou plein de paraffine fondue autour de la mèche. Dans ce cas, après avoir éteint la flamme, servez-vous d'un cure-dents ou d'une allumette en bois pour sortir la mèche de la paraffine et qu'elle soit ainsi prête pour un emploi ultérieur.

Mouchez la chandelle avant de la rallumer, c'est-à-dire coupez un bout de sa mèche, car si cette dernière mesure plus d'un centimètre, elle pourrait fumer.

Par ailleurs, attendez toujours 24 heures avant de faire brûler les chandelles que vous venez de fabriquer.

délicate

sim

Dans cette première section, vous prendrez plaisir à fabriquer les plus simples des chandelles. Ces réalisations ont été regroupées parce qu'elles ont en commun simplicité et pureté. Elles sont idéales pour s'initier à cet artisanat puisqu'elles n'exigent rien de compliqué sur le plan des connaissances techniques.

Nous commencerons par les élégantes navettes. Ces chandelles aux formes simples mais élégantes et douces sont exécutées à partir de paraffine incolore coulée dans des moules de carton. Ensuite, nous passerons aux cierges de cire d'abeille roulés à la main, pour lesquels ni moule ni chauffage ne sont nécessaires. Les chandelles faites à partir de tiges de bambou frais prouvent quant à elles à quel point il est facile de réaliser un moule en latex pour confectionner une forme inhabituelle. Les pommes vert acidulé mettent elles aussi à contribution un moule en caoutchouc, celui-ci prêt à l'emploi, ainsi que de la paraffine déjà teintée et parfumée à la pomme. La cire gélatineuse est un produit relativement nouveau qui permet à l'artisan de réaliser une magnifique chandelle transparente dans un simple contenant de verre. Enfin, les chandelles ovoïdes vous feront découvrir ce que l'on peut réussir avec un moule prêt à l'emploi fait de deux morceaux. Quand vous aurez réalisé tous ces projets, vous maîtriserez l'ensemble des techniques de base de la fabrication de chandelles.

plicité

élégantes navettes

La fine élégance de ces chandelles oblongues est rehaussée par la simplicité de la paraffine incolore. Réalisez-les en un éventail de tailles différentes et regroupez-les. Elles décoreront votre maison même lorsqu'elles ne seront pas allumées.

matériel

papier-calque
papier cartonné glacé
mèche pour une chandelle de 4 cm (1½ po) de diamètre
rondelle à mèche
35 g (1½ oz) de stéarine
315 g (13½ oz) de paraffine

matériel additionnel

crayon et ciseaux
règle
ruban adhésif à deux faces
ruban adhésif d'emballage

PRÉPARATION DU MOULE Faites une photocopie du gabarit figurant à la page 76 avec un grossissement de 200 %. Calquez le dessin et reportez-le sur le carton. Découpez. Marquez les pliures en suivant les lignes pointillées et pliez le carton à l'aide de la règle. Assurez-vous que le côté glacé du carton se trouve à l'intérieur. Repliez le rectangle tout autour du fond ovale et fixez-le sur ce dernier à l'aide de ruban adhésif à deux faces. Scellez les joints avec du ruban adhésif d'emballage. Insérez votre main dans le moule et écartez-le légèrement pour lui donner sa forme ovale fuselée. Pour faire en sorte qu'il ne fuie pas, emballez le moule entier dans du ruban adhésif. Installez le moule dans un plat à cuisiner et fixez-le sur le fond de ce dernier avec un peu de mastic, qui empêchera toute paraffine de s'échapper.

PRÉPARATION DE LA MÈCHE Coupez une mèche qui fera 5 cm (2 po) de plus que la hauteur de la chandelle finie et apprêtez-la (voir p. 17). Fixez une de ses extrémités à une rondelle à mèche, que vous déposerez dans le fond du moule et fixerez avec un peu de mastic. Nouez l'autre extrémité à un cure-dents ou à une tige de bois (brochette) que vous déposerez sur le bord du moule de façon à maintenir verticalement la mèche au centre du moule.

PRÉPARATION DE LA CIRE Faites fondre la stéarine dans le bain-marie. Ajoutez la paraffine et continuez de faire chauffer jusqu'à ce que celle-ci soit fondue et atteigne 82 °C (180 °F).

COULAGE DE LA CHANDELLE Versez la paraffine dans le centre du moule et réservez. Gardez le restant de paraffine pour le rajout sur le haut plus tard. Attendez quelques minutes, puis tapotez doucement les parois du moule pour permettre à toute bulle d'air emprisonnée de se libérer. Transférez le moule dans un bain de refroidissement et mettez un poids dessus pour le maintenir au fond. Après une heure de trempage, un creux se sera formé autour de la mèche. Percez-y la paraffine à plusieurs reprises avec un cure-dents et rajoutez sur le dessus un peu de paraffine que vous aurez chauffée à 82 °C (180 °F). Laissez prendre complètement.

FINITION Enlevez le mastic et coupez le moule avec un *cutter* pour libérer la chandelle. Enlevez le support à mèche et taillez la mèche à 1 cm (½ po).
Pour réaliser les grandes chandelles, photocopiez les gabarits avec un agrandissement de 350 % et utilisez 585 g (22½ oz) de paraffine et 65 g (2½ oz) de stéarine.

petit truc

Les chandelles réalisées dans des moules de carton peuvent présenter une apparence mate ou nébuleuse. Il suffit de les frotter fermement avec un chiffon doux pour leur donner un beau lustre.

PRÉPARATION DE LA CIRE Mettez la paraffine dans un bain-marie et faites-la chauffer à 93 °C (200 °F). Préparez la quantité demandée de teinture verte en l'écrasant avec le dos d'une cuillère. Ajoutez cette poudre à la paraffine fondue et remuez pour la faire dissoudre. Plus la quantité de teinture est grande, plus la couleur sera marquée. Il est donc judicieux de commencer avec une petite quantité et d'en rajouter au besoin. Pour avoir une bonne idée de la couleur finale, trempez un morceau de papier sulfurisé dans la paraffine colorée et laissez-le sécher.

COULAGE DE LA CHANDELLE Déposez le carton rigide sur le rebord d'un récipient vide. Avec précaution, versez la paraffine dans le moule, que vous remplirez à ras bord. Réservez un peu de paraffine pour en rajouter sur le dessus à la fin. Attendez quelques minutes, puis tapotez doucement les parois du moule pour permettre à toute bulle d'air emprisonnée de se libérer. Transférez le moule avec son carton dans le bain de refroidissement et laissez prendre pendant une heure environ. Pendant que la paraffine se rigidifie, un creux se formera autour de la mèche. Percez-y la paraffine à plusieurs reprises avec un cure-dents pour empêcher toute distorsion. Une heure plus tard, rajoutez un peu de paraffine que vous aurez fait chauffer à 93 °C (200 °F). Remettez le moule dans l'eau jusqu'à ce que la paraffine ait totalement pris.

FINITION Retirez le moule du carton. Couvrez la surface du moule de détergent liquide pour faciliter la séparation. Avec précaution, déroulez le caoutchouc sur lui-même en le décollant de la chandelle. Sortez délicatement la mèche de la base du moule afin de ne pas endommager le moule. À l'aide d'un *cutter*, éliminez tout excès de paraffine et de mèche à la base de la chandelle et nivelez-la au besoin. Coupez la mèche pour n'en laisser dépasser que 1 cm (½ po).

pommes vertes

L'emploi de moules commerciaux en latex permet de réaliser sans aucune difficulté des chandelles aux formes irrégulières ou, comme c'est le cas ici, des chandelles ressemblant à s'y méprendre à des fruits. Il faut par contre ne pas oublier quelques détails quand on se sert de moules en caoutchouc. On doit se servir d'une mèche non trempée pour réduire les risques de fuite de paraffine. Par ailleurs, le moule devra être soutenu par un morceau de carton rigide pendant que la paraffine prendra, idéalement dans un bain de refroidissement. On ne doit pas non plus employer de stéarine dans la paraffine pour cette réalisation, car elle ferait pourrir le caoutchouc.

matériel
mèche pour une chandelle de 3 cm (1 1/4 po) de diamètre
papier cartonné ciré
240 g (8 1/2 oz) de paraffine
environ 1/7 de pastille de teinture verte parfumée à la pomme
détergent liquide

matériel additionnel
ciseaux
moule de latex en forme de pomme
chiffon doux

PRÉPARATION DE LA MÈCHE ET DU MOULE Coupez une mèche non trempée qui aura 5 cm (2 po) de plus que la hauteur de la chandelle finie et passez-la dans le chas d'une aiguille à broder. Piquez l'aiguille dans le fond du moule et tirez la mèche, de manière à n'en laisser dépasser que 1,5 cm (5/8 po). Ce bout de mèche sera plus tard la queue de la pomme-chandelle. Fixez la mèche avec du mastic. Découpez dans du carton rigide un support pour le moule qui sera plus large que l'ouverture du bain de refroidissement. Au centre, découpez-y un trou où viendra reposer le col du moule. Installez le moule dans le support. Faites passer une brochette de bois à travers la mèche et déposez la brochette en travers du moule et sur son rebord, en vous assurant que la mèche est au centre et bien verticale.

PRÉPARATION DE LA CIRE Mettez la paraffine dans le bain-marie et faites-la chauffer à 93 °C (200 °F). Réduisez la teinture en poudre avec le dos d'une cuillère. Cela suffit pour un fruit. Ajoutez la teinture à la paraffine fondue et mélangez.

COULAGE DE LA CHANDELLE Installez le support en carton au-dessus d'un récipient vide et versez la paraffine colorée dans le moule, en le remplissant jusqu'à ras bord. Gardez le restant de paraffine pour en rajouter sur le dessus plus tard. Attendez quelques minutes, puis tapotez doucement les parois du moule pour permettre à toute bulle d'air emprisonnée de se libérer. Transférez le tout dans le bain de refroidissement en l'installant à l'aide du support en carton. Après une heure de trempage, un creux se sera formé autour de la mèche. Percez-y la paraffine à plusieurs reprises avec un cure-dents. Attendez encore une heure et rajoutez sur le dessus un peu de paraffine que vous aurez fait chauffer à 93 °C (200 °F). Laissez prendre complètement.

FINITION Retirez le moule du carton et enlevez le mastic et le support à mèche. Couvrez la surface du moule de détergent liquide et déroulez avec précaution le caoutchouc sur lui-même en le décollant de la chandelle. Dégagez délicatement la mèche de la base afin de ne pas endommager le moule. À l'aide d'un *cutter*, éliminez tout excès de paraffine à la base de la chandelle et nivelez-la au besoin afin que le fruit puisse tenir tout seul. Coupez la mèche de manière à n'en laisser dépasser que 1 cm (1/2 po). Enfin, frottez la paraffine avec un chiffon doux pour lui donner un beau lustre.

petit truc
Si vous changez l'eau du bain de refroidissement toutes les 15 minutes pendant les 2 premières heures, le temps de prise sera réduit.

gelée en pot

La cire gélatineuse est un produit relativement récent qui peut servir à créer des effets visuels saisissants. Lorsque la cire se fige, elle donne l'impression, à la vue comme au toucher, d'être de la gelée. On ne peut pas couler cette cire dans des moules conventionnels, mais plutôt dans des contenants de verre décoratifs.

matériel
mèche pour une chandelle de 10 cm (4 po) de diamètre
rondelle à mèche
1 kg (35 oz) de cire gélatineuse
une pincée de teinture en poudre violette
paillettes (optionnel)

matériel additionnel
contenant en verre de 10 cm (4 po) de diamètre
　　　et de 18 cm (7 po) de haut
casserole

PRÉPARATION DE LA MÈCHE Coupez une mèche qui aura 5 cm (2 po) de plus que la hauteur du contenant de verre. Apprêtez-la comme à l'accoutumée (voir p. 17). Faites passer la mèche dans une rondelle à mèche. Déposez un tout petit peu de mastic sous la rondelle et fixez fermement celle-ci dans le fond du contenant en verre. Mettez une brochette de bois en travers du haut du contenant et nouez-y solidement la mèche.

PRÉPARATION DE LA CIRE Mettez de l'eau dans le bas du bain-marie puis environ 250 g (8¾ oz) de cire dans le haut et faites chauffer à feu doux. La cire doit fondre lentement. Il est important de ne pas hâter le processus en augmentant la flamme, car la cire commencerait à fumer. Remuez de temps en temps. Quand la cire est totalement fondue et bien fluide, ajoutez-y peu à peu la poudre de teinture violette. Comme cette teinture est destinée à un usage commercial, elle est très concentrée. Fort heureusement, la couleur ne change pas lorsque la cire prend, ce qui permet de juger facilement de la quantité de teinture à utiliser. Lorsque la teinte vous convient, retirez la casserole du feu.

COULAGE DE LA CHANDELLE Mettez un torchon autour du contenant de verre pour parer à un éventuel dégoulinement sur ses parois extérieures. Versez 250 g (8¾ oz) de cire gélatineuse colorée dans le moule et laissez refroidir pendant 15 minutes. Pendant que la cire est encore liquide, saupoudrez-la de paillettes si vous voulez ajouter un effet supplémentaire. Répétez le processus avec un autre 250 g (8¾ oz) de cire, mais cette fois-ci n'y mettez que la moitié de la quantité de teinture en poudre utilisée à la première étape. Versez dans le moule et laissez refroidir 15 minutes. Faites fondre le reste de cire sans y ajouter de teinture. Versez dans le contenant en laissant 3 cm (1¼ po) entre le bord et la cire. Laissez la chandelle prendre complètement. Observez les couleurs apparaître et créer d'intéressants camaïeux.

FINITION Quand la chandelle est froide, taillez la mèche en laissant dépasser 2 cm (¼ po) au-dessus de la gélatine. N'oubliez pas que ni la mèche ni la flamme ne doivent dépasser du bord du contenant.

petit truc

Pour cette création, il est important d'employer de la teinture en poudre et non les habituelles pastilles de teinture afin d'obtenir une belle couleur transparente, étant donné que techniquement la gelée n'est pas vraiment de la cire.

à la coque ou dur ?

Les chandelles sphériques ou ovoïdes sont facilement réalisées à l'aide de moules prêts à l'emploi constitués de deux parties. On les trouve dans une grande variété de tailles. Sur cette illustration, vous pouvez voir des chandelles ovoïdes réalisées avec des quantités différentes de teinture afin d'obtenir des chandelles qui ont vraiment l'air d'être un œuf pâle, un œuf crème et un œuf brun. La technique suivante indique la quantité de paraffine et de stéarine à employer pour confectionner une seule chandelle ovoïde. Vous préférerez peut-être réaliser plusieurs œufs à la fois et donc faire fondre une plus grande quantité de paraffine et de stéarine.

matériel
mèche pour une chandelle de 2,5 cm (1 po) de diamètre
12 g (2/5 oz) de stéarine (le rapport 80 % de paraffine et
    20 % de stéarine permet d'augmenter l'opacité de
    la chandelle)
48 g (1 3/5 oz) de paraffine
pastille de teinture marron

matériel additionnel
moule ovoïde en matière plastique transparente constitué
    de deux parties

PRÉPARATION DE LA MÈCHE Coupez une mèche qui aura 5 cm (2 po) de plus que la hauteur de la chandelle finie et apprêtez-la (voir p. 17). Enfilez-la dans le chas d'une aiguille à broder que vous passerez par le trou au fond d'une des parties du moule (qui constituera la partie du haut de l'œuf une fois fini), puis dans l'autre partie de l'œuf pour en ressortir par le trou où sera versée la paraffine. Emboîtez les deux parties l'une dans l'autre et scellez le raccord avec du mastic. À la base du moule (le haut de l'œuf), tendez bien la mèche et laissez sortir un bout de 1,5 cm (5/8 po), que vous scellerez avec un peu de mastic. De l'autre côté, faites passer une brochette de bois à travers la mèche et posez la brochette en travers du moule et sur son rebord, en vous assurant que la mèche est au centre et à la verticale.

PRÉPARATION DE LA CIRE Mettez la stéarine à fondre dans le haut du bain-marie. Concassez un petit morceau de teinture marron avec le dos d'une cuillère et ajoutez-la à la stéarine. Tournez pour faire dissoudre la teinture. Pour avoir une idée de la teinte approximative une fois la chandelle finie, trempez un morceau de papier sulfurisé dans la stéarine fondue et laissez-le sécher. Si vous désirez une teinte plus foncée, ajoutez de la teinture.
    Ajoutez la paraffine et faites chauffer jusqu'à ce que celle-ci soit fondue et atteigne 82 °C (180 °F).

COULAGE DE LA CHANDELLE Versez la paraffine colorée dans le centre du moule et réservez le restant pour en rajouter sur le dessus plus tard. Attendez quelques minutes, puis tapotez doucement les parois du moule pour permettre à toute bulle d'air emprisonnée de se libérer. Transférez le moule dans un bain de refroidissement et maintenez-le dans le fond à l'aide d'un poids. Laissez prendre. Une heure plus tard, un creux se sera formé autour de la mèche. Piquez la paraffine à quelques reprises à cet endroit avec un cure-dents et rajoutez un peu de paraffine chauffée à 82 °C (180 °F). Laissez prendre totalement.

FINITION Retirez le mastic et la chandelle sortira facilement du moule. À la base, coupez la mèche à ras pour que la chandelle puisse bien tenir debout. En haut, coupez la mèche en ne laissant dépasser que 1 cm (1/2 po).
    Pour faire des œufs plus foncés, ajoutez plus de teinture, un petit copeau à la fois.

réalisatio
evoca

Les réalisations suivantes montrent combien il est aisé d'obtenir des effets spectaculaires avec la texture, les décorations de surface et les combinaisons de couleur, et seulement en employant quelques techniques très simples. La plupart des chandelles présentées dans cette section sont réalisées avec des moules prêts à l'emploi ou des moules très simples faits de carton ou de caoutchouc.

Aussi étrange que cela puisse paraître, la chandelle givrée est le cauchemar des artisans. C'est que, sur le plan technique, il s'agit d'une erreur de température. Ce genre de chandelle plaît beaucoup. On la réalise en coulant la paraffine à très basse température, ce qui permet de donner aux chandelles ordinaires une allure contemporaine.

La température est l'élément-clé de tous les effets spéciaux présentés dans cette section. Le refroidissement rapide dans de l'eau glacée des chandelles en forme de pyramide à peine coulées donne cet effet de délicates craquelures. Les cierges d'ananas concassé font eux aussi appel à l'emploi d'un bain d'eau glacée pour transformer la paraffine fondue en ananas concassé. La dernière mais non la moindre réalisation obtenue avec de la glace, *Bleu de glace*, est fabriquée à partir d'un moule en plastique rempli de glace pilée qui, en fondant, laisse dans la paraffine un joli enchevêtrement d'anfractuosités.

Les chandelles *Rayures fuselées* et *Chandelles à la Rothko* mettent en valeur la diversité des rayures par l'emploi de paraffines de couleurs variées. La chandelle à base rétrécie se coule dans un grand saladier de verre, ce qui lui procure sa surface lisse et brillante. L'autre chandelle à rayures est coulée dans un moule en carton, qui, de façon générale, donne une apparence mate aux parois des chandelles.

Enfin, des chandelles cubiques et parallélépipédiques couleur agrume arborent des gaufrages floraux sur leurs parois, tandis qu'un groupe de chandelles en forme de galet est mis en valeur par une simple technique de peinture à la main.

cubes givrés

Quatre chandelles cubiques givrées regroupées avec soin font un milieu de table idéal ou une décoration sophistiquée. Cet effet de givre s'obtient facilement et il est extrêmement attrayant.

matériel
mèche pour une chandelle de 6 cm (2⅜ po) de diamètre
270 g (9½ oz) de paraffine verte prête à l'emploi

matériel additionnel
moule en plastique transparent de 6 cm (2⅜ po) de côté et
    de 16 cm (6½ po) de haut
papier-cache adhésif

PRÉPARATION DU MOULE Étant donné que cette technique demande que l'on remue le moule avec la paraffine à l'intérieur, vous devrez utiliser un moule plus haut que la hauteur de la chandelle finie. Avec un moule cubique, vous renverseriez de la paraffine. Il suffit de marquer la hauteur voulue sur l'extérieur du moule à l'aide du papier-cache, c'est-à-dire à 6 cm (2⅜ po) de la base.

PRÉPARATION DE LA MÈCHE Coupez une mèche qui aura 5 cm (2 po) de plus que la hauteur de la chandelle finie et apprêtez-la (voir p. 17). Enfilez-la sur une aiguille à broder pour la faire passer dans le trou situé dans le fond du moule. Nouez l'extrémité du haut à une tige de bois que vous déposez sur le rebord du moule de façon à maintenir la mèche bien verticale au centre du moule. Sous le moule, tendez la mèche et scellez-la avec du mastic.

PRÉPARATION DE LA CIRE Faites fondre la paraffine verte toute prête dans le haut d'un bain-marie jusqu'à ce qu'elle soit complètement fondue.

TECHNIQUE DU GIVRAGE Retirez la paraffine du feu et laissez-la refroidir, en prenant soin de la remuer sans arrêt pour empêcher qu'une pellicule se forme. Vous verrez sous peu de l'écume se former à sa surface. Lorsque cela se produit, versez de la paraffine dans le moule et faites tourner celui-ci pour en enduire les parois, mais seulement jusqu'au niveau marqué. Reversez la paraffine dans le haut du bain-marie et fouettez-la jusqu'à ce qu'elle devienne mousseuse. Versez-la de nouveau dans le moule jusqu'à la marque et réservez le reste pour en rajouter ultérieurement sur le dessus de la chandelle. Attendez quelques minutes, puis tapotez doucement les parois du moule pour permettre aux bulles d'air emprisonnées de se libérer, car elles ruineraient l'effet final recherché. Transférez le tout dans un bain de refroidissement et mettez un poids dessus pour maintenir le moule au fond. Une heure plus tard, un creux se sera formé autour de la mèche. Percez-y la paraffine à plusieurs reprises avec un cure-dents et rajoutez un peu de paraffine que vous aurez chauffée à 65 °C (150 °F). Laissez prendre complètement.

FINITION Une fois froide, la chandelle sortira sans problème du moule dès que vous aurez retiré le mastic du fond. Coupez la mèche à la base pour que la chandelle puisse tenir debout de façon stable. Ensuite, enlevez la tige de bois et taillez la mèche du haut pour n'en laisser dépasser que 1 cm (½ po).

Pour réaliser un ensemble complet de chandelles, refaites-en une autre de couleur verte, ainsi que deux autres de couleur bleue.

petit truc

Rappelez-vous que l'effet de givre fait paraître la paraffine beaucoup plus claire. Vous devez en tenir compte lorsque vous choisissez la couleur de votre paraffine.

Si les chandelles de votre ensemble présentent des hauteurs différentes, il vous suffira de déposer les plus hautes dans le haut d'un bain-marie. La chaleur fera fondre la base de ces chandelles et les égalisera, vous permettant ainsi d'obtenir un ensemble de chandelles de hauteur égale.

rayures fuselées

Ces formes massives et fuselées en même temps sont réalisées à l'aide de saladiers de verre, que l'on peut trouver dans une variété de dimensions. L'alternance de couleur se fait par l'intercalation d'une couche de paraffine incolore entre deux couches de paraffine rouge. Au contact de la paraffine rouge, la paraffine incolore absorbe des pigments rouges et devient d'une belle teinte rosée. Vous pouvez vous servir de n'importe quel contenant, pourvu qu''il soit rigide et étanche. Pour réaliser une chandelle de cette taille, il faut plusieurs mèches afin que la paraffine brûle de façon égale.

matériel
mèche pour une chandelle de 13 cm (½ po) et 3 tiges
    de soutien
200 g (7 oz) de stéarine
2 pastilles de teinture rouge
1,8 kg (4 lb) de paraffine (pour les couches rouges)
60 g (2 oz) de stéarine
540 g (19 oz) de paraffine (pour la couche du milieu)

matériel additionnel
saladier de verre à fond rétréci dont la base mesure environ
    8 cm (3¼ po) de diamètre et le haut 20 cm (8 po), la
    hauteur étant approximativement de 12 cm (4¾ po).
Papier-cache adhésif

PRÉPARATION DE LA MÈCHE Coupez trois mèches qui auront 5 cm (2 po) de plus que la hauteur de la chandelle finie et apprêtez-les (voir p. 17). Attachez l'extrémité de chacune des trois mèches à une rondelle à mèche, que vous fixez au fond du saladier avec un peu de mastic. Assurez-vous que les mèches sont espacées de façon égale. Nouez les autres extrémités à deux ou trois tiges de bois. Posez ces dernières en travers du rebord du saladier de façon que les mèches soient verticales.

PRÉPARATION DE LA CIRE Faites fondre la première quantité de stéarine dans le haut d'un bain-marie. Concassez les deux pastilles de teinture rouge avec le dos d'une cuillère. Ajoutez la teinture à la stéarine fondue et remuez pour l'aider à se dissoudre. Pour vérifier la couleur, il suffit de tremper une bande de papier sulfurisé dans la stéarine colorée et de la faire sécher. Vous pourrez alors voir de quoi aura l'air la couleur finale. Si vous désirez une couleur plus intense, ajoutez de la teinture.

Ajoutez la première quantité de paraffine à la stéarine colorée et continuez de faire chauffer jusqu'à ce que la paraffine soit fondue et atteigne une température de 82 °C (180 °F).

COULAGE DE LA CHANDELLE À l'aide de papier-cache adhésif, marquez les niveaux désirés pour les différentes couches sur les parois extérieures du saladier. Le premier niveau se situe à environ 5 cm (2 po) du fond du saladier et le deuxième, 3 cm (1¼ po) au-dessus de ce premier. Versez la paraffine colorée dans le centre du moule jusqu'au premier niveau. Réservez le restant de paraffine rouge pour la troisième couche. Laissez reposer quelques minutes, puis tapotez doucement les parois du moule pour permettre à toute bulle d'air emprisonnée de se libérer. Laissez la paraffine prendre jusqu'à ce qu'elle ait une consistance caoutchouteuse.

Pendant que la première couche prend, préparez la paraffine incolore avec la seconde quantité de paraffine et de stéarine. Dès que la première couche est caoutchouteuse au

toucher, versez la paraffine incolore sur cette dernière jusqu'au deuxième niveau. Laissez prendre comme vous l'avez fait pour la première couche. Pour que la paraffine incolore s'imbibe de pigments rouges, il est essentiel que vous ne laissiez pas la paraffine devenir trop solide. Finalement, ajoutez une autre couche de paraffine rouge, remplissant ainsi le moule presque jusqu'au bord. Gardez

l'excédent de paraffine pour en rajouter sur le dessus ultérieurement. Une heure plus tard environ, un creux se sera formé autour des mèches. Piquez la paraffine à ces endroits à quelques reprises avec un cure-dents et rajoutez un peu de paraffine chauffée à 82 °C (180 °F). Laissez prendre totalement.

FINITION Une fois froide, la chandelle sortira sans problème du saladier de verre. Enlevez les tiges de bois et taillez les mèches du haut de manière à n'en laisser dépasser que 1 cm (½ po).

Pour réaliser la chandelle de couleur unie, utilisez un saladier ayant une base de 10 cm (4 po) de diamètre, un rebord supérieur de 25 cm (10 po) de diamètre et une hauteur de 15 cm (6 po). Employez 300 g (10 oz) de stéarine et 2,7 kg (6 lb 6 oz) de paraffine, ainsi que 6 pastilles de teinture rouge pour la chandelle foncée et 2 pastilles pour la chandelle plus pâle.

petit truc

Vous pouvez confectionner plusieurs chandelles de diverses tailles et combiner les couleurs selon votre goût et votre fantaisie. La couleur crème fonctionne particulièrement bien entre les couches colorées, et les chandelles de différentes teintes de la même couleur sont très belles.

pyramides craquelées

Tout ce qu'il faut pour réussir à produire cet effet particulier, c'est un seau d'eau glacée. Trempez en premier lieu une chandelle qui a pris dans un bain de paraffine incolore et, immédiatement après, dans de l'eau glacée. Le changement soudain de température amène la couche extérieure de paraffine incolore à se craqueler en formant un intéressant réseau de fines craquelures sur toute la surface de la chandelle, qui ressemble aux craquelures que l'on trouve sur la porcelaine. Cet effet est davantage prononcé sur les chandelles de couleurs vives. C'est pour cette raison que, pour cette réalisation, on a créé un orange soutenu à l'aide de deux paraffines commerciales déjà colorées.

matériel
mèche pour une chandelle de 5 cm (2 po) de diamètre
200 g (7 oz) de paraffine jaune commerciale déjà colorée
90 g (3 oz) de paraffine rouge commerciale déjà colorée
glaçons
900 g (32 oz) de paraffine incolore

matériel additionnel
moule en plastique transparent en forme de pyramide de
    6 cm de côté (2⅜ po) sur 23 cm (9 po) de haut
un pot à trempage dune capacité de 1 kg (35 oz)
grand récipient (cuvette en plastique, par exemple)
torchon

PRÉPARATION DE LA MÈCHE Coupez la mèche d'une longueur qui aura 5 cm (2 po) de plus que la hauteur de la chandelle finie et apprêtez-la (voir p. 17). Utilisez une aiguille à broder pour faire passer la mèche par le trou qui se trouve à la base du moule. Tirez sur la mèche pour qu'elle soit bien tendue en laissant sortir 1,5 cm de mèche (⅝ po) sous la base, que vous fixerez avec un peu de mastic. Attachez l'autre extrémité de la mèche à une tige de bois que vous poserez en travers du rebord du moule en vous assurant que la mèche est verticale et au centre du moule.

PRÉPARATION DE LA CIRE Mettez les paraffines jaune et rouge dans un bain-marie et faites chauffer jusqu'à ce que la paraffine soit fondue et atteigne une température de 82 °C (180 °F).

COULAGE DE LA CHANDELLE Versez la paraffine dans le moule et mettez le tout de côté. Réservez le restant de paraffine pour en rajouter sur le dessus à la fin. Laissez reposer quelques instants, puis tapotez doucement les parois du moule pour permettre à toute bulle d'air emprisonnée d'être libérée. Transférez le moule dans le bain d'eau glacée et maintenez-le dans le fond avec un poids. Une heure plus tard, un creux se sera formé autour de la mèche. Piquez la

paraffine à cet endroit à quelques reprises avec un cure-dents. Attendez encore une heure et rajoutez un peu de paraffine chauffée à 82 °C (180 °F). Laissez prendre totalement. Enlevez le mastic et faites glisser la chandelle hors du moule. Ne taillez pas encore la mèche.

L'EFFET DE CRAQUELURES Mettez des cubes de glace dans un seau rempli d'eau. Attendez quelques minutes pour que l'eau devienne bien glacée. Faites chauffer la paraffine incolore dans le haut d'un bain-marie propre à une température de 88 °C (190 °F). Avec précaution, transvasez la paraffine fondue dans un pot à trempage. Tenez fermement la chandelle par la mèche et trempez-la une fois dans la paraffine fondue en vous assurant que la chandelle est entièrement recouverte de paraffine. Immédiatement après cela, plongez-la dans le seau d'eau glacée. Maintenez la chandelle submergée pendant quelques minutes, jusqu'à ce que la couche de paraffine transparente soit complètement froide et figée. Retirez la chandelle du bain d'eau glacée et regardez les craquelures se former. Asséchez la chandelle avec un torchon propre et taillez la mèche à la base pour que la chandelle puisse bien tenir debout. Taillez la mèche du haut en laissant 1 cm (½ po).

petit truc
On peut obtenir cet effet de craquelures en mettant une chandelle encore chaude à moitié prise dans le congélateur. La paraffine refroidira très vite, ce qui se traduira par une surface craquelée. Les craquelures seront cependant plus grosses.

cierges d'ananas concassé

Ces chandelles en forme de cierge et de la couleur d'agrumes ressemblent un peu à de l'ananas concassé. On réalise cet effet en versant un peu de paraffine chaude dans un récipient d'eau froide, puis en remplissant le moule avec les brins cassants obtenus. Le reste du moule est ensuite rempli de paraffine fondue comme à l'ordinaire.

matériel
mèche pour une chandelle de 7,5 cm (3 po) de diamètre
100 g (3½ oz) de stéarine
¼ de pastille de teinture jaune
900 g (31½ oz) de paraffine

matériel additionnel
moule : tout grand contenant tubulaire et étanche faisant environ 7 cm (2¾ po) de diamètre et 20 cm (8 po) de haut (contenants à chips, par exemple).
ciseaux
poinçon
grand récipient (cuvette en plastique, par exemple)
fourchette

PRÉPARATION DU MOULE Coupez le moule si nécessaire. À l'aide du poinçon, percez un trou dans le fond du moule. Remplissez d'eau un grand récipient.

PRÉPARATION DE LA MÈCHE Coupez une mèche qui aura 5 cm (2 po) de plus que la hauteur de la chandelle finie et apprêtez-la (voir p. 17). À l'aide d'une aiguille à broder, faites passer la mèche par le trou à la base du moule. Passez ensuite une tige de bois dans la mèche et posez la tige sur le rebord du moule, en vous assurant que la mèche est à la verticale au centre du moule. À la base du moule, tirez sur la mèche en la tendant bien et fixez avec un peu de mastic.

PRÉPARATION DE LA CIRE Faites fondre la stéarine dans le haut d'un bain-marie. Concassez la teinture jaune avec le dos d'une cuillère et ajoutez-la à la stéarine. Remuez pour faire

dissoudre. Pour avoir une idée de la teinte finale, trempez une bande de papier sulfurisé dans la stéarine colorée et laissez-la sécher. Ajoutez de la teinture si vous désirez une couleur plus intense.

Ajoutez la paraffine dans le haut d'un bain-marie et continuez de faire chauffer jusqu'à ce que celle-ci soit fondue et atteigne 82 °C (180 °F).

TECHNIQUE POUR DONNER LA TEXTURE Versez approximativement la moitié de la paraffine en filet régulier dans un récipient d'eau froide. Au contact de l'eau, la paraffine refroidira rapidement et formera des brins cassants irréguliers. Servez-vous d'une fourchette pour repêcher ces brins, secouez-les un peu pour éliminer l'excès d'eau et déposez-les dans le moule sans trop les compacter. Faites fondre le restant de la paraffine et laissez-la ensuite refroidir jusqu'à ce qu'elle atteigne une température de 65 °C (150 °F). Versez la paraffine fondue dans le centre du moule en vous assurant de le remplir à ras bord. Il faut que la température de la paraffine soit plus basse qu'à l'ordinaire sinon les délicats brins fondront et vous n'obtiendrez pas l'effet souhaité. Gardez le restant de paraffine pour le rajout sur le haut plus tard. Attendez quelques minutes, puis tapotez doucement les parois du moule pour permettre à toute bulle d'air emprisonnée d'être libérée. Une heure plus tard, un creux se sera formé autour de la mèche. Percez-y la paraffine à plusieurs reprises avec un cure-dents et rajoutez un peu de paraffine que vous aurez fait chauffer à 65 °C (150 °F). Laissez prendre complètement.

FINITION Une fois refroidie, la chandelle devrait glisser facilement hors du moule après que vous aurez retiré le mastic. Si vous éprouvez quelque difficulté, il vous suffira de découper le moule avec votre *cutter*. Coupez la mèche à la base pour que la chandelle puisse tenir bien droite, retirez la tige de support et taillez la mèche à 1 cm (½ po).

Pour réaliser les chandelles courtes de couleur orange, employez la même quantité de paraffine et de stéarine que pour la chandelle jaune, ainsi que le tiers d'une pastille de teinture orange. Servez-vous d'un moule en plastique ou d'un autre contenant de 10 cm (4 po) de diamètre et de 12 cm (4¾ po) de haut. Pour la chandelle de taille moyenne de couleur orange, utilisez 540 g (19 oz) de paraffine et 60 g (2 oz) de stéarine que vous mélangerez à un quart d'une pastille de teinture orange. Vous coulerez le tout dans un moule en plastique ou un autre contenant qui aura 7,5 cm (3 po) de diamètre et 16 cm (6½ po) de haut.

chandelle à la Rothko

Les couleurs subtiles et sourdes des peintures de Mark Rothko ont servi d'inspiration pour la réalisation de cette chandelle parallélépipédique à deux mèches. Étant donné que l'on se sert d'un moule en carton pour la couler, il est difficile de voir la façon dont se forment les couches colorées. Il n'en est que plus emballant d'ouvrir le moule et de découvrir le résultat final.

matériel
papier-calque
carton glacé rigide
mèche pour une chandelle de 5 cm (2 po) de diamètre
200 g (7 oz) de paraffine commerciale bleu foncé
200 g (7 oz) de paraffine commerciale bleue
200 g (7 oz) de paraffine commerciale orange
200 g (7 oz) de paraffine commerciale rouge

matériel additionnel
crayon et ciseaux
règle
ruban adhésif à deux faces
ruban adhésif d'emballage

PRÉPARATION DU MOULE Faites une photocopie du gabarit figurant à la p. 77 avec un grossissement de 400 %. Calquez le dessin et reportez-le sur le carton. Découpez. Marquez les pliures en suivant les lignes pointillées et pliez le carton à l'aide de la règle pour créer une boîte rectangulaire en vous assurant que le côté glacé du carton se trouve à l'intérieur. À l'intérieur du moule, marquez le niveau de chaque couche de couleur à l'aide d'un crayon avant d'assembler la boîte. Fixez le côté qui chevauche à l'aide du ruban adhésif à deux faces. Repliez les rabats sous la base et fixez-les à l'aide du ruban adhésif à double face. Emballez tout le moule dans du ruban d'emballage afin de sceller tous les raccords et de prévenir toute fuite.

PRÉPARATION DES MÈCHES Coupez deux mèches qui auront 5 cm (2 po) de plus que la hauteur de la chandelle finie et apprêtez-les (voir p. 17). Utilisez une aiguille à broder pour percer deux trous dans le fond du moule en vous assurant que ces trous sont esthétiquement espacés. Faites ensuite passer les mèches dans les trous, toujours à l'aide de l'aiguille. Attachez l'extrémité de chacune des deux mèches à une tige de bois, que vous déposerez sur le rebord du moule en vous assurant que les mèches sont verticales. Sous le fond du moule, tirez les mèches pour bien les tendre et fixez-les avec du mastic. Posez le moule dans un plat à cuisiner et fixez-le en entourant la base avec du mastic.

PRÉPARATION DE LA CIRE Faites fondre la paraffine bleu foncé dans le haut d'un bain-marie jusqu'à ce qu'elle atteigne une température de 82 °C (180 °F).

COULAGE DE LA CHANDELLE Versez la paraffine bleu foncé dans le centre du moule jusqu'à la première marque de crayon, au premier niveau. Laissez reposer quelques instants, puis tapotez doucement les parois du moule pour permettre à toute bulle d'air emprisonnée d'être libérée.

Préparez la paraffine bleue de la même façon. Dès que la première couche est caoutchouteuse au toucher, versez dessus la paraffine bleue jusqu'au deuxième niveau. Laissez reposer quelques instants, puis tapotez doucement les parois du moule pour permettre à toute bulle d'air emprisonnée d'être libérée. Continuez à couler vos paraffines orange et rouge de la même façon. Gardez l'excédent de paraffine rouge pour en rajouter sur le dessus ultérieurement. Laissez refroidir et, une heure plus tard environ, un creux se sera formé autour des mèches. Piquez la paraffine à ces endroits à quelques reprises avec un cure-dents et rajoutez un peu de paraffine chauffée à 82 °C (180 °F). Laissez prendre totalement.

FINITION Une fois que la paraffine est complètement refroidie, enlevez le mastic et le support à mèche. Déchirez le moule à l'aide de votre *cutter*. Coupez les mèches au bas de la chandelle et taillez-en le haut à 1 cm.

problème

S i les rayures sont mal définies, cela indique que les couches n'ont pas suffisamment durci avant de recevoir les autres. Assurez-vous donc toujours que la surface de la couche précédente est caoutchouteuse au toucher avant d'y verser de la paraffine.

chandelles
bleu de glace

Ces chandelles sont réalisées, ainsi que leur nom le laisse entendre, à l'aide de glace. La paraffine fondue sera versée sur de la glace pilée contenue dans un gros moule à cierge, le centre de celui-ci étant constitué d'une chandelle achetée d'un diamètre de 2,5 cm (1 po). La paraffine versée sur la glace refroidit très rapidement en formant un fascinant labyrinthe d'anfractuosités irrégulières. Une fois que la glace est fondue, on peut jeter l'eau. L'emploi d'une chandelle déjà faite au centre permet de s'assurer que la mèche n'absorbera aucune humidité et qu'elle brûlera et éclairera normalement.

matériel
chandelle bleue toute faite de 2,5 cm (1 po) de diamètre
    et de 13 cm (5½ po) de haut
cubes de glace en quantité suffisante pour pouvoir remplir
    l'interstice entre la chandelle et la paroi du moule
environ 270 g (9½ oz) de paraffine commerciale bleue

matériel additionnel
moule de plastique transparent pour faire une chandelle
    en forme de cierge
saladier de verre
torchon à vaisselle
rouleau à pâtisserie

PRÉPARATION DE LA CHANDELLE TOUTE FAITE
Disposez la chandelle toute faite dans le centre du moule. Ne scellez pas le trou au fond du moule puisqu'il est nécessaire pour que l'eau s'y écoule quand la glace fond. Attachez la mèche de la chandelle à une tige de bois que vous disposerez en travers sur le rebord du moule.

petit truc

Pour ces chandelles, employez un moule de plastique transparent. Il est passionnant d'observer le processus ainsi que les dessins formés par la glace et la paraffine.
    Assurez-vous que la chandelle toute faite reste verticale au centre du moule.

PRÉPARATION DE LA GLACE
Mettez le moule dans un saladier de verre, dans lequel l'eau de la glace fondue pourra s'écouler. Disposez les cubes dans un torchon propre que vous repliez sur lui-même et cassez-les à l'aide du rouleau à pâtisserie. La grosseur des morceaux de glace déterminera l'apparence finale de la chandelle. De gros morceaux de glace donneront de gros trous, alors que de la glace pilée plus finement donnera des trous plus petits. Remplissez le moule de glace pilée jusqu'au bord.

PRÉPARATION DE LA CIRE
Faites fondre la paraffine bleue dans le haut d'un bain-marie jusqu'à ce qu'elle atteigne une température de 99 °C (210 °F).

COULAGE DE LA CHANDELLE
Versez la paraffine bleue sur la glace d'un côté du moule. Continuez de verser la paraffine sur la glace jusqu'à ce que le moule soit plein. La quantité de paraffine dont vous aurez besoin dépendra de la quantité de glace se trouvant dans le moule. Ne soyez donc pas surpris s'il vous reste de la paraffine. Versez ce surplus dans un récipient dont vous aurez tapissé l'intérieur de papier sulfurisé et laissez prendre. Vous pourrez employer cette paraffine à une autre occasion.
    Laissez reposer pendant une heure. À mesure que la glace fond, l'eau sort du moule par le trou et se répand dans le récipient.

FINITION
Retirez le support à mèche et faites glisser la chandelle hors de son moule. Il se peut que quelques morceaux de glace restent pris dans la paraffine. Ils fondront rapidement et l'eau sortira de la chandelle. Laissez la chandelle sécher complètement. Coupez la mèche au ras de la chandelle dans le bas et taillez le haut à 1 cm (½ po).

gaufrage de fleurs

Des moulures décoratives faites de plastique et peu chères servent ici à créer de jolis motifs fleuris sur les côtés des chandelles jaune et orange de forme carrée et rectangulaire.

matériel
papier-calque
papier cartonné glacé
colle hydrofuge
mèche pour une chandelle de 5 cm (2 po) de diamètre
300 g (10½ oz) de paraffine commerciale orange

matériel additionnel
crayon et ciseaux
moulures décoratives de plastique de 10 cm (4 po) de large
    et de 6 cm (2⅜ po) de haut
règle
ruban adhésif à deux faces
ruban adhésif d'emballage

PRÉPARATION DU MOULE Faites une photocopie du gabarit rectangulaire figurant à la p. 77 avec un grossissement de 200 %. Calquez le dessin et reportez-le sur le carton. Découpez. Marquez les pliures en suivant les lignes pointillées et pliez le carton à l'aide de la règle. Assurez-vous que le côté glacé du carton se trouve à l'intérieur. Collez la moulure décorative sur une des grandes faces glacées du moule (sauf celle du fond). Donnez sa forme au moule et fixez les chevauchements à l'aide du ruban adhésif à deux faces. Retournez les rabats sur le fond et fixez-les avec du ruban adhésif double. Entourez tout le moule de ruban adhésif d'emballage afin de sceller tous les raccords.

PRÉPARATION DES MÈCHES Coupez deux mèches qui auront 5 cm (2 po) de plus que la hauteur de la chandelle finie et apprêtez-les (voir p. 17). Utilisez une aiguille à broder pour percer deux trous au fond du moule et faites ensuite passer la mèche par les trous à l'aide de l'aiguille. Nouez l'extrémité du haut de la mèche à une tige de bois que vous déposerez sur le bord du moule de façon à maintenir verticalement la mèche au centre du moule. Sous le moule, tendez la mèche en la tirant vers l'extérieur et fixez-la avec un peu de mastic. Déposez le moule dans un plat à cuisiner et fixez-le sur le plat en entourant la base de mastic afin d'empêcher toute fuite de paraffine.

PRÉPARATION DE LA CIRE ET COULAGE DE LA CHANDELLE Faites fondre la paraffine orange dans le haut du bain-marie et faites-la chauffer jusqu'à ce qu'elle soit fondue et atteigne 82 °C (180 °F).

Versez la paraffine fondue dans le centre du moule, que vous remplirez à ras bord. Mettez de côté et réservez le restant de paraffine pour en rajouter sur le dessus de la chandelle ultérieurement.

Attendez quelques minutes, puis tapotez doucement les parois du moule pour permettre à toute bulle d'air emprisonnée d'être libérée. Une heure plus tard, un creux se sera formé autour des mèches. Percez-y la paraffine à plusieurs reprises avec un cure-dents et rajoutez un peu de paraffine que vous aurez chauffée à 82 °C (180 °F). Laissez bien prendre.

FINITION Quand la paraffine est refroidie, enlevez le mastic et coupez le moule avec un *cutter* pour libérer la chandelle. Détachez le carton des côtés avec précaution afin de ne pas abîmer le motif gaufré. Enlevez la tige de bois et taillez la mèche à 1 cm (½ po) de la chandelle.

Pour réaliser le cube jaune, utilisez le gabarit de la p. 77, que vous photocopierez avec un agrandissement de 200 %. Collez la moulure sur un des côtés intérieurs du moule et utilisez 270 g (9½ oz) de paraffine commerciale jaune et une seule mèche.

galets
zen

Ces chandelles dans un camaïeu de gris ressemblent à s'y méprendre à des galets et forment un ensemble magique quand elles sont regroupées, que ce soit au centre d'une table pour un souper ou pour agrémenter une petite fontaine d'intérieur. Vous pouvez vous servir d'un moule de caoutchouc que vous aurez réalisé avec un vrai galet et un nécessaire de fabrication de moule en caoutchouc.

matériel
1 galet de la taille de la paume de la main
mèche pour une chandelle de 5 cm (2 po) de diamètre
carton rigide
800 g (28 oz) de paraffine
pastille de teinture noire
pastille de teinture blanc cassé
pigmentation noire
détergent liquide
peinture acrylique blanche

matériel additionnel
petite soucoupe
nécessaire de fabrication de moule contenant une solution
    de latex et un durcisseur
pinceau
ciseaux
pinceau à pochoir
chiffon doux
bain de refroidissement

FABRICATION DU MOULE Nettoyez le galet à l'eau et séchez-le bien. Déposez-le sur le fond d'une soucoupe retournée. En tenant compte des recommandations du fabricant, appliquez plusieurs couches de la solution de latex sur le galet et la soucoupe, en vous assurant de faire un peu sécher chaque couche avant d'appliquer la suivante. Cherchez à appliquer autant de couches nécessaires pour que le moule ait 3 mm (⅛ po) d'épaisseur. Avant l'application de la dernière couche, ajoutez le durcisseur à la solution dans une proportion de 1 pour 20. Mélangez bien. Lorsque la solution a épaissi, passez la dernière couche et faites sécher. Quand le latex est complètement sec, déroulez avec précaution le moule du galet.

PRÉPARATION DE LA MÈCHE ET DU MOULE Coupez une mèche non préparée qui aura 5 cm (2 po) de plus que la hauteur de la chandelle finie et passez-la dans le chas d'une aiguille à broder. Avec précaution, piquez l'aiguille dans le fond du moule pour faire un trou et tirez la mèche de manière à n'en laisser dépasser que 1,5 cm (⅝ po) en dessous. Fixez la mèche avec du mastic.

Dans du carton rigide, découpez un support pour le moule qui soit plus large que l'ouverture du bain de refroidissement. Au centre, découpez-y un trou où viendra reposer le col du moule. Installez le moule dans le support. Faites passer une brochette de bois à travers la mèche et déposez la brochette en travers du moule et sur son rebord, en vous assurant que la mèche soit au centre et verticale.

PRÉPARATION DE LA CIRE Mettez la paraffine dans le haut d'un bain-marie et faites-la chauffer à 93 °C (200 °F). Pour réaliser un galet noir, ajoutez un peu de pigments noirs à la paraffine. Pour réaliser un galet gris, utilisez une petite quantité de la pastille noire, ainsi qu'un peu de blanc cassé. Avec le dos d'une cuillère, réduisez la teinture en poudre. Ajoutez la teinture à la paraffine fondue et mélangez pour dissoudre. Plus la quantité de teinture employée sera grande, plus la chandelle sera foncée. Il est judicieux de commencer avec une petite quantité de teinture et d'en rajouter par la suite si nécessaire. Pour avoir une idée de la teinte finale, il vous suffira de tremper un morceau de papier sulfurisé dans la paraffine colorée et de le laisser sécher.

COULAGE DE LA CHANDELLE Installez le support en carton au-dessus d'un récipient vide et versez la paraffine colorée dans le moule, en le remplissant jusqu'à ras bord. Gardez le restant de paraffine pour en rajouter sur le dessus plus tard. Attendez quelques minutes, puis tapotez doucement les parois du moule pour permettre à toute bulle d'air emprisonnée d'être libérée. Transférez le tout dans un bain de refroidissement en l'installant à l'aide du support en carton. Après une heure de trempage, un creux se sera formé autour de la mèche. Percez-y la paraffine à plusieurs reprises avec un cure-dents. Attendez encore une heure et rajoutez à cet endroit un peu de paraffine que vous aurez chauffée à 93 °C (200 °F). Remettez le tout dans l'eau et laissez prendre complètement.

FINITION Retirez le moule du support en carton. Couvrez sa surface de détergent liquide et déroulez avec précaution le caoutchouc sur lui-même en le décollant de la chandelle-galet. Dégagez délicatement la mèche de la base afin de ne pas endommager le moule. À l'aide d'un *cutter*, éliminez

tout excès de paraffine à la base de la chandelle et nivelez-la au besoin afin qu'elle puisse bien tenir debout. Coupez la mèche de manière à n'en laisser dépasser que 1 cm (½ po).

Pour donner un effet marbré, faites de petits points blancs en vous servant du pinceau à pochoir et de peinture blanche acrylique.

Pour réaliser d'autres chandelles en forme de galet, utilisez différentes formes et grosseurs de galet pour faire vos moules et variez vos couleurs pour conférer à vos chandelles une allure naturelle.

Enfin, frottez vos chandelles avec un chiffon doux pour leur donner un beau lustre.

cierges givrés

Cette apparence givrée et écaillée est très recherchée. On obtient facilement cet effet en versant dans le moule la paraffine à une très basse température. On remue la paraffine pendant qu'elle refroidit, ce qui lui donne une texture mousseuse. Si vous désirez obtenir une texture encore plus duveteuse et une apparence encore plus légère, vous pouvez employer un fouet manuel pour faire refroidir la paraffine.

matériel
mèche pour une chandelle de 5 cm (2 po) de diamètre
60 g (2 oz) de stéarine
le quart d'une pastille de teinture bleue
540 g (19 oz) de paraffine

matériel additionnel
moule en plastique transparent de 6 cm (2⅜ po) de
    diamètre et de 20 cm (8 po) de haut
papier-cache adhésif

PRÉPARATION DU MOULE Étant donné que cette technique demande que l'on remue le moule avec la paraffine à l'intérieur, vous devrez utiliser un moule plus haut que la hauteur de la chandelle finie. Il suffit de marquer la hauteur voulue sur le moule à l'aide du papier-cache, c'est-à-dire à 18 cm (7 po) de la base, pour réaliser le plus grand des cierges.

PRÉPARATION DE LA MÈCHE Coupez une mèche qui aura 5 cm (2 po) de plus que la hauteur de la chandelle finie et apprêtez-la (voir p. 17). Enfilez-la sur une aiguille à broder pour la faire passer dans le trou situé au fond du moule. Nouez l'extrémité du haut à une tige de bois que vous déposerez sur le rebord du moule de façon à maintenir la mèche verticalement au centre du moule. Sous le moule, tendez bien la mèche et fixez-la avec du mastic.

PRÉPARATION DE LA CIRE Faites fondre la stéarine dans le haut d'un bain-marie. Écrasez la teinture bleue avec le dos d'une cuillère. Ajoutez la teinture à la stéarine fondue et remuez pour faire dissoudre. Plus la quantité est importante, plus la couleur sera intense. Il est donc recommandé de commencer avec une petite quantité de teinture et d'en rajouter au besoin. Pour avoir une idée approximative de la couleur finale, il suffit de tremper un morceau de papier sulfurisé dans la paraffine colorée et de le laisser sécher.

Ajoutez la paraffine et faites-la chauffer jusqu'à ce qu'elle soit fondue et atteigne une température de 82 °C (180 °F).

TECHNIQUE DU GIVRAGE Retirez la paraffine du feu et laissez-la refroidir en prenant soin de la remuer sans arrêt

pour empêcher qu'une pellicule se forme. Vous verrez bientôt un peu d'écume se former à sa surface. Lorsque cela se produit, versez de la paraffine dans le moule et faites tourner ce dernier pour en enduire les parois, jusqu'au niveau marqué. Reversez la paraffine dans le bain-marie. Fouettez-la jusqu'à ce qu'elle devienne mousseuse puis versez-la de nouveau dans le moule jusqu'à la marque et réservez le reste pour en rajouter ultérieurement sur le haut de la chandelle. Attendez quelques minutes, puis tapotez doucement les parois du moule pour permettre à toute bulle d'air emprisonnée d'être libérée. Transférez le tout dans un bain de refroidissement et mettez un poids dessus pour maintenir le moule au fond. Une heure plus tard, un creux se sera formé autour de la mèche. Percez-y la paraffine à plusieurs reprises avec un cure-dents et rajoutez-y un peu de paraffine que vous aurez chauffée à 65 °C (150 °F). Laissez prendre complètement.

FINITION Une fois froide, la chandelle sortira sans problème du moule dès que vous aurez retiré le mastic du fond. Coupez la mèche au ras de la base pour que la chandelle puisse tenir debout de façon stable. Ensuite, enlevez la tige de bois et taillez la mèche du haut de manière à n'en laisser dépasser que 1 cm (½ po).

En procédant de la même façon, confectionnez un autre cierge avec une teinture violette. Pour réaliser des cierges plus courts, il suffit de marquer le moule avec du ruban-cache adhésif à 15 cm (6 po) de la base et d'employer 450 g (16 oz) de paraffine, 50 g (2 oz) de stéarine et seulement le quart d'une pastille de teinture.

petit truc
Rappelez-vous que l'effet de givre fait paraître la paraffine beaucoup plus claire. Vous devez en tenir compte lorsque vous ajoutez de la teinture à la stéarine.

ornement
additio

Maintenant que vous maîtrisez les techniques de base de la fabrication des chandelles ainsi que quelques petits trucs du métier, vous pouvez vous lancer dans des réalisations plus aventureuses en mettant l'accent sur l'ornementation de chandelles de paraffine avec toute une gamme d'objets décoratifs que vous pouvez dénicher un peu partout, chez vous, dans votre jardin ou dans des boutiques d'artisanat. Vous pouvez même utiliser les informations de la section qui suit comme point de départ de la création de chandelles décoratives à thème pour votre maison.

Les inclusions constituent une méthode importante d'ornementation, ainsi que la technique de l'application de feuilles de paraffine. L'inclusion est une technique permettant d'insérer des objets tels des coquillages, des pastilles de verre, des graines ou toute autre chose à laquelle vous pouvez penser dans la couche extérieure de la chandelle. Le *Photophore* et les *Cierges recouverts de graines* mettent en jeu la technique du moule double, alors que le *Cube de coquillages* fait appel à l'emploi d'une couche de paraffine coulée sur des coquillages, qui ressortent sur le côté.

Les feuilles de paraffine très minces et autocollantes sont disponibles dans une grande gamme de couleurs, de finis métallisés et d'effets holographiques. La réalisation *Un brin de métal* montre quelques-unes des façons dont on peut utiliser ce matériau infiniment souple. La colle à paraffine est par ailleurs une merveilleuse invention qui peut servir à fixer solidement de petits objets décoratifs à la surface des chandelles, entre autres des carreaux de miroir.

Enfin, la popularité de l'aromathérapie a suscité la présentation d'une petite collection de chandelles odorantes. Ces chandelles couleur pastel et délicieusement parfumées sont coulées dans des contenants de verre dépoli. Elles sont décoratives, mais aussi thérapeutiques.

photophore

On voit souvent des pastilles de verre disposées au fond de récipients remplis d'eau dans lesquels évoluent des chandelles flottantes. Ici les pastilles sont incluses dans la paraffine et ajoutent à une simple chandelle carrée des effets de miroitement.

matériel
mèche pour une chandelle de 5 cm (2 po) de diamètre
50 g (2 oz) de stéarine
450 g (16 oz) de paraffine
pastilles de verre coloré

matériel additionnel
moule en plastique transparent de 6 cm (2⅜ po) de côté
    et de 7,5 cm (3 po) de haut
moule en plastique transparent de 8 cm (3¼ po) de côté
    et de 10 cm (4 po) de haut

PRÉPARATION DE LA MÈCHE Coupez une mèche qui aura 5 cm (2 po) de plus que la hauteur de la chandelle finie et apprêtez-la (voir p. 17). Enfilez-la sur une aiguille à broder pour la faire passer dans le trou situé dans le fond du premier moule. Nouez l'extrémité du haut à une tige de bois que vous déposerez en travers du rebord du moule de façon à maintenir la mèche verticalement au centre du moule. Sous le moule, tendez la mèche et fixez-la avec du mastic.

PRÉPARATION DE LA CIRE Faites fondre la stéarine dans le haut d'un bain-marie. Ajoutez-y la paraffine et faites chauffer jusqu'à ce que la paraffine soit fondue et atteigne une température de 82 °C (180 °F).

COULAGE DE LA CHANDELLE Versez autant de paraffine que le premier moule peut en contenir, jusqu'au bord. Gardez le restant de paraffine pour en rajouter sur le dessus plus tard et pour l'inclusion des pastilles de verre. Attendez quelques minutes, puis tapotez doucement les parois du moule pour permettre à toute bulle d'air emprisonnée d'être libérée. Une heure plus tard, un creux se sera formé autour de la mèche. Percez-y la paraffine à plusieurs reprises avec un cure-dents. Attendez encore une heure et rajoutez-y un peu de paraffine que vous aurez fait chauffer à 82 °C (180 °F). Laissez prendre complètement.

INCLUSION DES PASTILLES DE VERRE Une fois que la chandelle a refroidi, enlevez le mastic et le support à mèche. Faites glisser la chandelle hors du moule. Ne taillez pas la mèche tout de suite.

Déposez cette chandelle carrée dans le second moule en plastique transparent. Faites passer la mèche par le trou et fixez-la avec du mastic. Attachez ensuite l'autre extrémité de la mèche à une tige de bois. Disposez les pastilles de verre entre les parois de la première chandelle et celles du moule jusqu'à en remplir l'interstice. Faites fondre le restant de paraffine dans le bain-marie. Quand elle a atteint 82 °C (180 °F), versez-la (vous pouvez le faire avec une cuillère) dans cet interstice pour couvrir les pastilles jusqu'à une hauteur dépassant à peine celle de la première chandelle. Laissez prendre.

FINITION Une fois la chandelle refroidie, retirez le mastic et la tige de bois. Faites glisser la chandelle hors du moule. Coupez la mèche au ras de la base pour que la chandelle puisse tenir debout de façon stable. Taillez le haut de la mèche de manière à n'en laisser dépasser que 1 cm (½ po).

Vous pouvez confectionner autant de chandelles que vous le désirez avec des pastilles de couleurs différentes.

mosaïque de miroirs

Pour cette réalisation, vous aurez à coller de petits carrés de miroir sur les parois de la chandelle en utilisant une colle à chandelle. On peut employer cette technique en se servant d'une multitude de matériaux décoratifs, entre autres des fleurs et des feuilles séchées, ou des boutons colorés. La mosaïque de petits carrés de miroir permet un effet éblouissant quand la chandelle est utilisée seule. Mais quand plusieurs chandelles brûlent ensemble, la lueur de chacune se reflète en plus dans les miroirs des autres.

matériel
mèche pour une chandelle de 10 cm (4 po) de diamètre et
    3 rondelles à mèche
100 g (3½ oz) de stéarine
1/5 de pastille de teinture rouge
900 g (31½ oz) de paraffine
petits carreaux de miroir
colle à chandelle

matériel additionnel
tube en PVC d'environ 10 cm (4 po) de diamètre et de
    14 cm (5½ po) de hauteur (que vous trouverez chez
    votre quincaillier)
tenailles à céramique (optionnel)

PRÉPARATION DU MOULE Disposez le tube de PVC dans un plat à cuisiner au fond recouvert de papier sulfurisé et colmatez-en la base avec du mastic.

PRÉPARATION DES MÈCHES Coupez trois mèches qui auront 5 cm (2 po) de plus que la hauteur de la chandelle finie et apprêtez-les (voir p. 17). Attachez l'extrémité de chacune des trois mèches à une rondelle à mèche.

PRÉPARATION DE LA CIRE Faites fondre la stéarine dans le haut d'un bain-marie. Concassez la teinture rouge avec le dos d'une cuillère et ajoutez-la à la stéarine fondue. Remuez pour faire dissoudre. Pour vérifier la couleur, il suffit de tremper une bande de papier sulfurisé dans la stéarine colorée et de la faire sécher. Vous pourrez alors voir de quoi aura l'air la couleur finale. Si vous désirez une couleur plus intense, ajoutez de la teinture.

    Ajoutez la paraffine à la stéarine colorée et continuez de faire chauffer jusqu'à ce que la paraffine soit fondue et atteigne une température de 82 °C (180 °F). Versez une petite quantité de paraffine fondue dans le centre du tube de manière à créer une fine couche dans le fond. Quelques minutes plus tard, enfoncez les mèches apprêtées dans la paraffine molle en les espaçant également. Nouez l'extrémité libre des mèches à des tiges de bois que vous déposerez en travers du moule en vous assurant que les mèches sont verticales.

COULAGE DE LA CHANDELLE Faites chauffer la paraffine de nouveau à la même température et versez-la dans le centre du moule jusqu'en haut. Réservez le restant de paraffine pour en rajouter plus tard sur le dessus. Laissez reposer quelques instants, puis tapotez doucement les parois du moule pour permettre à toute bulle d'air emprisonnée d'être libérée. Environ deux heures plus tard, un creux se sera formé autour des mèches. Piquez-y la paraffine à quelques reprises avec un cure-dents et rajoutez-y un peu de paraffine chauffée à 82 °C (180 °F). Laissez prendre totalement.

DÉMOULAGE Une fois que la paraffine sera totalement refroidie et que vous aurez retiré le mastic et les tiges de bois, la chandelle devrait glisser facilement hors du tube. Taillez les mèches de manière à n'en laisser dépasser que 1 cm (½ po).

DÉCORATION Vous pouvez maintenant procéder à l'encollage des petits carrés de miroir sur le pourtour de la chandelle en vous servant de la colle à chandelle et en suivant les instructions du fabricant. Si, pour finir une rangée, un carreau entier n'entre pas, employez des tenailles pour les tailler à la dimension voulue (vous trouverez ces tenailles chez un marchand de carreaux de céramique).

    Pour réaliser la chandelle plus claire, utilisez un tube d'environ 12 cm (4¾ po) de diamètre et 10 cm (4 po) de hauteur. Faites chauffer 200 g (7 oz) de stéarine et 1,8 kg (4 lb) de paraffine avec environ 1/10 de pastille de teinture rouge.

un brin de métal

La blancheur éclatante et lustrée de ces cierges massifs en fait une décoration idéale pour Noël. Les décorations métalliques leur ajoutent une touche magique. Les décorations dorées et argentées donnent l'impression d'être de fins fils métalliques alors qu'il s'agit de très fines bandes de paraffine malléable autoadhésive. Il suffit de couper cette paraffine à la dimension voulue à l'aide d'une règle et d'un *cutter* pour ensuite la coller par pression à la surface de la chandelle.

matériel
mèche pour une chandelle de 5 cm (2 po) de diamètre
50 g (2 oz) de stéarine
450 g (16 oz) de paraffine
paraffine métallisée pour appliquer
(une feuille permet de couvrir une chandelle)

matériel additionnel
moule pour cierge en plastique transparent de 7 cm (2¾ po)
de diamètre et de 18 cm (7 po) de haut

PRÉPARATION DE LA MÈCHE Coupez une mèche qui aura 5 cm (2 po) de plus que la hauteur de la chandelle finie et apprêtez-la (voir p. 17). Enfilez-la sur une aiguille à broder pour la faire passer par le trou situé dans le fond du moule. Nouez l'extrémité du haut à une tige de bois que vous déposerez sur le rebord du moule de façon à maintenir la mèche verticalement au centre du moule. Sous le moule, tendez la mèche et fixez-la avec du mastic.

PRÉPARATION DE LA CIRE Faites fondre la stéarine dans le haut d'un bain-marie. Ajoutez-y la paraffine et faites chauffer jusqu'à ce que celle-ci soit fondue et atteigne une température de 82 °C (180 °F).

COULAGE DE LA CHANDELLE Versez la paraffine dans le centre du moule et mettez de côté. Réservez le restant de paraffine pour en rajouter plus tard sur le dessus. Laissez reposer quelques instants, puis tapotez doucement les parois du moule pour permettre à toute bulle d'air emprisonnée d'être libérée. Plongez le moule rempli dans un bain de refroidissement en mettant un poids dessus. Environ une heure plus tard, un creux se sera formé autour de la mèche. Piquez-y la paraffine à quelques reprises avec un cure-dents et rajoutez-y un peu de paraffine chauffée à 82 °C (180 °F). Laissez prendre totalement.

DÉMOULAGE Une fois que la paraffine sera totalement refroidie et que vous aurez retiré le mastic et les tiges de bois, la chandelle devrait glisser facilement hors du tube. Taillez la mèche à la base pour que la chandelle soit bien stable, ainsi qu'en haut afin qu'elle ne dépasse que de 1 cm (½ po).

DÉCORATION La paraffine métallisée s'achète en feuilles dans lesquelles les fines bandes sont déjà formées. Cette paraffine est très collante et adhérera aux parois de la chandelle avec une légère pression des doigts. Si vous voulez couvrir entièrement une chandelle, il vous suffit d'enrouler toute une feuille autour de celle-ci dans le sens vertical ou horizontal et d'exercer une légère pression des doigts pour la coller. Il vous faudra peut-être tailler la feuille pour l'égaliser avec le bord de la bougie. Si vous le désirez, vous pouvez ne couvrir que certaines parties de la chandelle avec les bandes métallisées après les avoir coupées à l'aide d'un *cutter*. Enroulez-les autour du cierge par paires ou individuellement.

Pour réaliser des chandelles plus courtes, il suffit de faire une marque sur la paroi extérieure du moule à une hauteur de 15 cm (6 po) de la base avec du ruban-cache adhésif. Vous aurez besoin de 270 g (9½ oz) de paraffine et de 30 g (1 oz) de stéarine. Pour réaliser la chandelle plus mince, vous emploierez un moule de 6 cm (2⅜ po) de diamètre et le marquerez à une hauteur d'environ 18 cm (7 po). Vous utiliserez la même quantité de paraffine et de stéarine que pour les chandelles plus courtes.

cube de coquillages

Cette chandelle est obtenue grâce à une fascinante méthode d'inclusion qui n'exige pas de moule. On crée plutôt des parois de paraffine de façon que le dessus décoratif des coquillages en ressorte. On peut utiliser d'autres objets décoratifs.

matériel
coquillages variés
mèche pour une chandelle de 4 cm (1 ½ po) de diamètre et rondelle à mèche
900 g (31 ½ oz) de paraffine
colle à chandelle
100 g (2 oz) de stéarine environ

matériel additionnel
plat à cuisiner de 2,5 cm (1 po) de profondeur et de 30 cm (12 po) de côté (Comme vous allez faire 4 carrés de 14 cm (5 ½ po) de côté, vous pouvez remplacer un plat carré par un plat rectangulaire.)
ruban-cache adhésif
cutter

ARRANGEMENT DES COQUILLAGES À l'aide du ruban-cache adhésif, dessinez 4 carrés de 14 cm (5 ½ po) de côté dans le fond du plat en vous assurant de laisser un espace entre eux. Le beau côté vers le haut, déposez les coquillages dans chacun des carrés en faisant des carrés légèrement plus petits, soit en laissant un espace de 2 cm (¾ po) sur les côtés et de 4 cm (1 ½ po) en haut.

PRÉPARATION DE LA MÈCHE Coupez une mèche qui aura 5 cm (2 po) de plus que la hauteur de la chandelle finie et apprêtez-la (voir p. 17). Attachez une extrémité de la mèche à une rondelle à mèche.

PRÉPARATION DE LA CIRE La première couche de paraffine ne comporte pas de stéarine. Faites fondre la paraffine dans le haut d'un bain-marie jusqu'à ce qu'elle atteigne une température de 82 °C (180 °F).

TECHNIQUE DE L'INCLUSION Avec grande précaution, versez une fine couche de paraffine dans le plat jusqu'à ce que celle-ci monte jusqu'à la moitié des coquillages. Transvasez la paraffine du bain-marie dans un récipient doublé de papier sulfurisé. Laissez la paraffine du plat refroidir jusqu'à ce qu'elle soit caoutchouteuse et non complètement durcie.

À l'aide de votre *cutter*, découpez la paraffine en suivant le tracé des carrés marqués par le ruban-cache adhésif, c'est-à-dire 2 cm (¾ po) sur les côtés des carrés et 4 cm (1 ½ po) sur le haut. Laissez les quatre carrés refroidir complètement.

FAÇONNAGE DE LA CHANDELLE Assemblez les quatre carrés par les angles en vous servant de colle à chandelle (suivez les instructions du fabricant). Placez ce moule de paraffine vide dans un plat à cuisine doublé de papier sulfurisé.

COULAGE DE LA CHANDELLE Pesez la paraffine qui vous reste et calculez la quantité de stéarine dont vous avez besoin (10 % de stéarine pour 90 % de paraffine). Faites chauffer la stéarine dans le haut d'un bain-marie jusqu'à ce qu'elle fonde puis ajoutez-y la paraffine. Faites chauffer le tout à une température de 82 °C (180 °F). Versez dans le centre du moule un peu de paraffine fondue pour former une fine couche au fond, environ jusque là où les coquillages commencent. Laissez refroidir quelques minutes puis plongez la rondelle avec la mèche au centre de la paraffine. Attachez l'extrémité du haut à une tige de bois que vous déposerez en travers du bord de la chandelle en vous assurant que la mèche est verticale.

Laissez le reste de la paraffine refroidir jusqu'à ce qu'elle atteigne un maximum de 65 °C (150 °F). Il est très important que la cire de remplissage ne soit pas trop chaude, sinon elle risquerait de faire fondre les parois dans lesquelles sont inclus les coquillages. Versez donc la paraffine refroidie en quatre étapes, en vous assurant de laisser la surface de chaque couche devenir caoutchouteuse avant d'ajouter la suivante. Après avoir versé la dernière couche, réservez le restant de paraffine pour en rajouter sur le dessus ultérieurement. Environ deux heures plus tard, un creux se sera formé autour de la mèche. Percez-y la paraffine à plusieurs reprises avec un cure-dents et rajoutez-y un peu de paraffine que vous aurez chauffée à 65 °C (150 °F). Laissez prendre complètement.

FINITION Une fois la chandelle refroidie, retirez la tige de bois et taillez le haut de la mèche de manière à n'en laisser dépasser que 1 cm (½ po).

cierges recouverts de graines

Faites la razzia dans votre cuisine pour trouver des graines de diverses couleurs à utiliser dans cette réalisation. Sont employés ici des graines vertes de citrouille, de petits haricots rouges et des grains de blé blonds et beiges. Vous pouvez tout aussi bien vous servir de lentilles corail et de pois jaunes cassés, qui rendent particulièrement bien avec un mélange de riz blanc et de riz sauvage. Pour un contraste radical, employez de petites perles à la place des graines.

matériel
mèche pour une chandelle de 5 cm
   (2 po) de diamètre
60 g (2 oz) de stéarine
540 g (16 oz) de paraffine
diverses graines (ici de citrouille)

matériel additionnel
moule pour cierge en plastique
   transparent de 6 cm (2⅜ po)
   de diamètre et de 18 cm (7 po)
   de haut
moule pour cierge en plastique
   transparent de 7 cm (2¾ po)
   de diamètre et de 20 cm (8 po)
   de haut

PRÉPARATION DE LA MÈCHE Coupez une mèche qui aura 5 cm (2 po) de plus que la hauteur de la chandelle finie et apprêtez-la (voir p. 17). Enfilez-la sur une aiguille à broder pour la faire passer par le trou situé dans le fond du moule. Nouez l'extrémité du haut à une tige de bois que vous déposerez sur le rebord du moule de façon à maintenir la mèche verticalement au centre du moule. Sous le moule, tendez la mèche et fixez-la avec du mastic.

PRÉPARATION DE LA CIRE Faites fondre la stéarine dans le haut d'un bain-marie. Ajoutez-y la paraffine et faites chauffer jusqu'à ce que celle-ci soit fondue et atteigne une température de 82 °C (180 °F).

COULAGE DE LA CHANDELLE Versez autant de paraffine que vous pouvez dans le moule, jusqu'à ras bord. Réservez le restant pour en rajouter plus tard sur le dessus et à l'étape de l'ajout des graines. Laissez reposer quelques instants,

puis tapotez doucement les parois du moule pour permettre à toute bulle d'air emprisonnée d'être libérée. Environ une heure plus tard, un creux se sera formé autour de la mèche. Piquez-y la paraffine à quelques reprises avec un cure-dents et rajoutez-y un peu de paraffine chauffée à 82 °C (180 °F). Laissez prendre totalement.

AJOUT DES GRAINES Une fois que la chandelle est totalement refroidie, enlevez le mastic et le support à mèche du moule. Faites ensuite glisser la chandelle hors du moule. Ne taillez pas encore la mèche.

   Placez ce cierge dans le second moule de plastique. Faites passer la mèche par le trou et colmatez avec du mastic. Attachez l'autre extrémité à une tige de bois. Emplissez l'interstice entre les deux parois de graines de citrouille. Faites fondre le restant de paraffine dans le haut du bain-marie. Une fois que celle-ci a atteint 82 °C (180 °F), versez-la à la cuillère dans l'interstice entre les deux parois pour couvrir les graines jusqu'à un niveau légèrement au-dessus du premier cierge. Laissez prendre.

FINITION Une fois que la paraffine sera refroidie et que vous aurez retiré le mastic et la tige de bois, le cierge recouvert de graines sortira facilement du moule. Coupez la mèche sous le cierge afin que celui-ci puisse bien tenir debout et taillez le haut de la mèche en n'en laissant que 1 cm (½ po).

   Pour réaliser la chandelle rouge, votre premier moule devra avoir 4 cm (1½ po) de diamètre et 12 cm (4¾ po) de haut. Il vous faudra 270 g (16 oz) de paraffine et 30 g (1 oz) de stéarine. Cependant, vous ne remplirez le moule de paraffine que jusqu'à une hauteur de 8 cm (3¼ po). Déposez la chandelle dans un moule de 5 cm (2 po) de diamètre et de 14 cm (5½ po) de haut. Remplissez l'interstice de petits haricots rouges et de paraffine.

   Pour réaliser le cierge jaune, employez du blé jaune et beige. Servez-vous des mêmes moules, remplis jusqu'à une hauteur de 12 cm (4¾ po), en utilisant 540 g (19 oz) de paraffine et 60 g (2 oz) de stéarine.

huiles et
senteurs

Des contenants de verre dépoli à la base légère-ment rentrée servent de domicile à de délicieuses chandelles couleur pastel parfumées avec des huiles essentielles. L'aromathérapie est une vieille pratique holistique dont bien des gens apprécient les bienfaits. Les huiles essentielles que nous vous suggérons d'utiliser ont été sélectionnées pour leurs propriétés relaxantes, sensuelles, calmantes et énergisantes. Grâce à la grande variété d'huiles essentielles en vente dans les pharmacies et les magasins d'alimentation naturelle, vous pourrez aussi créer un mélange personnel qui corres-pondra à vos goûts et besoins.

matériel
mèche pour une chandelle de 5 cm (2 po) de diamètre et
    rondelle à mèche
15 g (½ oz) de stéarine
environ 1/12 d'une pastille de teinture violette
huile essentielle

matériel additionnel
bocal de verre dépoli à la base rentrée de 6 cm (2⅜ po)
    de large et de 6 cm (2⅜ po) de haut.

PRÉPARATION DE LA MÈCHE Coupez une mèche qui aura 5 cm (2 po) de plus que la hauteur de la chandelle finie et apprêtez-la (voir p. 17). Attachez une des extrémités à la rondelle à mèche et déposez la rondelle dans le fond du bocal. Nouez l'extrémité du haut à une tige de bois que vous déposerez sur le rebord du moule de façon à maintenir la mèche verticalement au centre du moule.

petit truc

Quand vous employez des récipients de verre, il est important de vous rappeler que la mèche doit être bien centrée étant donné que le verre craquerait ou casserait si la flamme était trop proche d'une paroi.

PRÉPARATION DE LA CIRE Faites fondre la stéarine dans le haut d'un bain-marie. Concassez la teinture violette avec le dos d'une cuillère. Vous n'avez pas besoin de plus de teinture que cette infime quantité si vous voulez obtenir une couleur pastel. Ajoutez la teinture à la stéarine fondue et remuez pour l'aider à se dissoudre. Pour vérifier la couleur, il vous suffit de tremper une bande de papier sulfurisé dans la stéarine colorée et de la faire sécher. Vous pourrez alors voir de quoi aura l'air la couleur finale.

Ajoutez la paraffine à la stéarine colorée et continuez de faire chauffer jusqu'à ce que la paraffine soit fondue et atteigne une température de 82 °C (180 °F). Ajoutez quelques gouttes d'huile essentielle. Vous pouvez en mettre autant qu'il vous plaira, mais vous devez tenir compte du fait que seulement quelques gouttes sont nécessaires en général. Mélangez bien l'huile essentielle à la paraffine.

COULAGE DE LA CHANDELLE Versez la paraffine colorée dans le centre du moule et réservez le restant de paraffine pour en rajouter sur le dessus plus tard. Laissez reposer quelques instants puis tapotez doucement les parois du moule afin de permettre à toute bulle d'air emprisonnée d'être libérée. Celles-ci pourraient déformer la chandelle. Une heure plus tard environ, un creux se sera formé autour de la mèche. Piquez-y la paraffine à quelques reprises avec un cure-dents et rajoutez-y un peu de paraffine chauffée à 82 °C (180 °F) en prenant soin de ne pas rajouter de paraffine au-dessus du niveau initial de la paraffine. Laissez prendre totalement.

FINITION Retirez la tige de bois et taillez la mèche pour n'en laisser dépasser que 1 cm (½ po).

Répétez les mêmes étapes pour réaliser d'autres chandelles de couleur pastel en employant une infime quantité de teinture rose, jaune et orange, ainsi que des huiles essentielles individuelles ou bien un mélange de ces dernières.

propriétés des huiles essentielles

CITRONNELLE	**CAMOMILLE**	**LAVANDE**	**YLANG-YLANG**	**ROSE**
En plus de son merveilleux arôme revitalisant, l'huile essentielle de citronnelle possède des propriétés insectifuges, idéales pour pouvoir passer des soirées estivales à l'extérieur.	L'huile essentielle de camomille a un arôme particulier qui ressemble à l'odeur des pommes trop mûres. Elle est connue pour ses propriétés calmantes et tranquillisantes.	L'essence de lavande est très connue des gens et on la considère comme vivifiante et en même temps apaisante. Elle possède aussi des propriétés antiseptiques.	Cette huile est sensuelle et réputée aphrodisiaque. Elle est également un antidépresseur. En Indonésie on répand des fleurs d'ylang-ylang sur le lit des nouveaux mariés pour leur nuit de noces.	L'huile de rose est excellente pour calmer la colère, l'anxiété et la tension mentale. Elle sert aussi à régulariser les sautes d'humeur occasionnées par le stress prémenstruel.

problèmes et suggestions

Si vous suivez attentivement les instructions données pour chaque réalisation et observez les mesures de sécurité prônées ici, vous ne devriez courir aucun risque et éprouverez un grand plaisir à fabriquer vos chandelles. Les chandelles obtenues devraient brûler régulièrement sans produire trop de fumée ni de crépitement. Voici quelques problèmes possibles et leur solution.

NETTOYAGE Pour prévenir les débordements de paraffine et de cire, il est judicieux de recouvrir vos surfaces de travail et les environs de celui-ci avec du papier journal. Si de la paraffine ou de la cire venait à déborder sur une surface non protégée, ne vous affolez pas. Laissez la cire refroidir et ensuite décollez-la en la raclant. Si, par contre, elle tombe sur du tissu, ramassez autant de cire froide que vous le pouvez. Ensuite, mettez du papier d'emballage sur la tache et repassez avec un fer très chaud. La cire refondra et sera absorbée par le papier. Cependant, les couleurs foncées et les teintures en poudre ont tendance à laisser des auréoles sur les surfaces une fois que la cire a été enlevée.

TEINTURES Utilisez les teintures en poudre avec parcimonie étant donné que leurs couleurs sont très concentrées. N'en ajoutez qu'une infime quantité à la fois. N'oubliez pas que vous pouvez toujours en rajouter, mais jamais en enlever.

CIRE OU PARAFFINE CHAUDE Cet artisanat est relativement sécuritaire, mais il faut faire très attention pour éviter les accidents lorsqu'on se sert d'une source de chaleur. Il ne faut jamais laisser des brûleurs sans surveillance car la cire peut prendre en feu quand elle surchauffe. Si elle commence à fumer, il y a un risque qu'elle s'enflamme. Si cela se produit, fermez immédiatement le brûleur et étouffez les flammes à l'aide d'un chiffon mouillé ou d'un couvercle. N'essayez pas d'éteindre les flammes avec de l'eau.

Par ailleurs, prenez toujours soin, lorsque vous versez la cire, d'éviter les éclaboussures et portez des gants.

MOULES Les moules prêts à l'emploi doivent être lavés dans de l'eau chaude savonneuse immédiatement après emploi. Toute trace de cire laissée dans le moule altérera la surface de la prochaine chandelle qui y sera coulée.

Lorsque vous utilisez des moules de carton, colmatez bien les raccords avec du ruban adhésif d'emballage pour éviter toute fuite. Déposez le moule dans un plat à cuisiner. De cette façon, une fuite éventuelle se déversera uniquement dans le plat. S'il y a une petite fuite, la chandelle ne sera pas endommagée. Si une grande quantité de cire a fui avant que la chandelle ait pris, il ne vous reste qu'à récupérer la cire pour la faire refondre plus tard.

DÉMOULAGE DE LA CHANDELLE Si vous ne réussissez pas à démouler la chandelle, il se peut que nous n'ayez pas mis assez de stéarine dans la paraffine. La chandelle prend alors trop lentement et il y a une contraction insuffisante. Mettez le moule plein de cire au réfrigérateur pendant quelques instants et essayez de nouveau de démouler la chandelle. Si vous avez rajouté de la cire sur le dessus en dépassant le niveau d'origine, il se peut qu'un peu de cire se soit infiltrée entre le moule et la chandelle et rende le démoulage difficile. Mettez le moule plein de cire dans de l'eau très chaude pendant quelques instants et essayez de nouveau.

TEMPÉRATURE DE LA CIRE Pour bien réussir dans la fabrication des chandelles, la température est un élément-clé. Employez un thermomètre spécialisé ou un thermomètre de confiseur. Par ailleurs, versez la cire dans vos moules exactement à la température indiquée pour chaque réalisation.

Pour obtenir l'effet de givre, il faut faire refroidir la paraffine avant de la verser. L'apparence squameuse ne sera pas obtenue si la paraffine est trop chaude. Mettez la paraffine fondue à côté du moule et surveillez sans arrêt sa température avec le thermomètre. Ne la versez dans le moule qu'à la température précisée.

Lorsque vous confectionnez des chandelles rayées, rappelez-vous de laisser chaque couche refroidir jusqu'à ce que sa surface devienne caoutchouteuse. Mais ne la laissez pas refroidir au point que les deux couches se séparent. Ne versez pas non plus de paraffine quand la couche inférieure est trop chaude, car la démarcation entre les couleurs se perdrait.

MÈCHES Pour que la mèche brûle avec régularité, il faut qu'elle corresponde le plus possible au diamètre de la chandelle. Si la mèche est trop épaisse, la chandelle ne fournira pas assez de combustible et la mèche brûlera avec une grosse flamme qui produira beaucoup de fumée. Si par contre la mèche est trop mince, elle sera noyée dans la cire fondue et la flamme s'éteindra ou sera très petite.

Autre point important : la mèche doit être bien centrée. Si elle est excentrée, la combustion se fera de biais.

gabarits

Les gabarits suivants doivent être agrandis.

Il suffit de les photocopier en fonction de l'agrandissement indiqué.

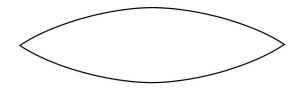

Élégantes navettes (voir p. 28). Agrandissement de 200 %.

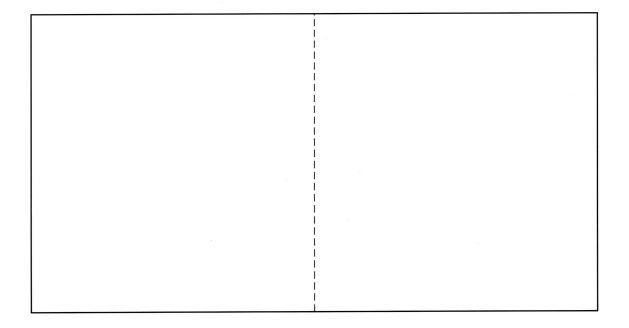

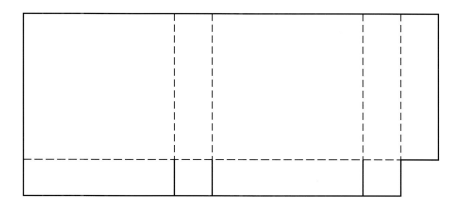

Chandelle à la Rothko (voir p. 50). Agrandissement de 400 %. Vous aurez probablement besoin de deux feuilles de papier.

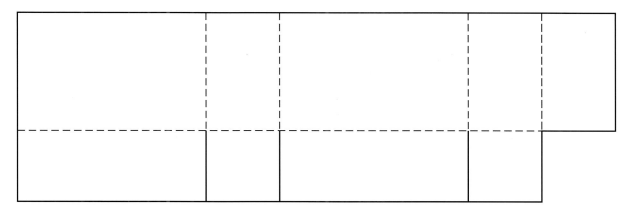

Gaufrage de fleurs (voir p. 54). Agrandissement de 200 % (rectangle).

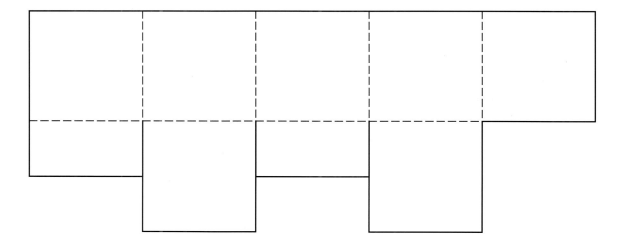

Gaufrage de fleurs (voir p. 55). Agrandissement de 200 % (carré).

adresses utiles

Atelier la Cire-Constance
4, rue Notre-Dame
Baie-Saint-Paul (Québec) G0A 1B0
Tél. : (418) 240-2473
fabricants de chandelles

La Boutique du Bricolage
205, rue Principale Ouest
Magog (Québec) J1X 2A8
Tél. : (819) 868-0295
Téléc. : (819) 843-6964
Courriel : bricolage@videotron.ca
http ://pages.infinit.net/boutique/accueil.htm
équipement, commande en ligne

Le Cirier de Grasse
25, rue Amiral de Grasse
Grasse
0613 Alpes Maritimes
France
Tél. : 04.93.40.06.88
Courriel : didier.bianchi@le-cirier.com
http ://www.le-cirier.com
poudres parfumées, commande en ligne

La Fabrique de Chandelles sous contrat inc.
1919, rue William
Montréal (Québec) H3J 1R7
Tél. : (514) 989-1185
Téléc. : (514) 989-1617
Courriel : Info@lafabriquedechandelles.com
http ://www.lafabriquedechandelles.com
vente de chandelles

From Nature with Love
258, Longstreet Avenue
Bronx (New York) 10465
États-Unis
Tél. : (888) 376-6695
Téléc. : (718) 842-6620
http ://www.soapcrafting.com
équipement, commande en ligne

Miel Labonté inc.
530, rang Nault
Victoriaville (Québec)
Tél. : (819) 758-3877
Téléc. : (819) 758-9386
Courriel : info@labontehoney.com
http ://www.labontehoney.com
cire d'abeille, plus de 40 couleurs

Multicrafts Canada
10129, chemin Côte-de-Liesse
Dorval (Québec) H9P 1A3
Tél. : (514) 636-2422
Téléc. : (514) 636-5225
Sans frais : 800 361-4409
Courriel : info@multicrafts.com
http ://ww.multicrafts.com
équipement, commande en ligne

Musée de l'abeille
8862, boulevard Sainte-Anne
Château-Richer (Québec) G0A 1N0
Tél. : (418) 824-4411
Téléc. : (418) 824-4422
Courriel : info@musee-abeille.qc.ca
http ://www.musee-abeille.com/atelier_chandelle.html
atelier de fabrication de chandelles et cire d'abeille

L'Oiseau Bleu Artisanat Inc.
4146, rue Sainte-Catherine Est
Montréal (Québec) H1V 1X2
Tél. : (514) 527-3456
Téléc. : (514) 527-6348
boutique d'artisanat, équipement

Le Temps Retrouvé
499, rue Saint-Jean
Québec (Québec) G1R 1P5
Tél. : (418) 521-4808
boutique d'artisans

index

A
À la coque ou dur ? 38-39
adjonctions 15, 60-61
aiguille à broder 8

B
bain de refroidissement 8
bain-marie 8
brochettes de métal 8

C
camomille 74
carton 8
Chandelle à la Rothko 50-51
Chandelles bleu de glace 52-53
chandelles à rayures 23
chandelles avec inclusions 22
chandelles avec incrustations 22
chandelles craquelées 22
chandelles gaufrées 22
chandelles givrées 22
chandelles réalisée avec
    de la glace pilée 23
Cierges d'ananas concassé 48-49
Cierges givrés 58-59
Cierges recouverts de graines 70-71
cierges à texture d'ananas concassé 22
cire 12-13
cire d'abeille 12
cire d'abeille au naturel 26, 30-31
cire gélatineuse 12, 15, 17, 26, 36
cire pour application 12
cire pour moulage et modelage 12
citronnelle 74
Cube de coquillages 68-69
Cubes givrés 42-43
cuillère 10
cutter 10

E
effets spéciaux 22-23, 40-41

Élégantes navettes 28-29
équipement 8-11
Exotique bambou 32-33

F
fabrication de chandelles 16-19

G
gabarits 76-77
Galets zen 56-57
Gaufrage de fleurs 54-55
Gelée en pot 36-37

L
lavande 74

M
mastic à moule 10
mèches 10
    mise en place des 18
    multiples 18
Mosaïque de miroirs 64-65
moules 10
    à gaufrage 10
    de carton 21
    improvisés 20
    maison 20
    remplissage des -
    de caoutchouc 20
        support pour les - 19
moules prêts à l'emploi 14

P
papier ordinaire 10
papier sulfurisé 10
papier-calque 10
paraffine 12, 13, 16, 17
paraffine prête à l'emploi 12-13
Photophore 62-63

plastifiant (dur ou mou) 13
plat à cuisiner 10
poids 8
poinçon (ou alène) 10
Pommes vertes 34-35
pot à trempage 10
précautions 25
problèmes et suggestions 75
Pyramides craquelées 46-47

R
Rayures fuselées 44-45
règle 10
rondelles à mèche 10
rose 74
Rothko, Mark 50-51
ruban adhésif 10

S
saladier de verre 11
sécurité 24-25, 75
senteurs 15, 17, 61, 73-74
senteurs essentielles 73-74
source de chaleur 11
stéarine 13, 16, 20
support à mèche 11

T
teintures
    en pastilles 15
    en poudre 15
thermomètre 11

U
Un brin de métal 66-67

Y
ylang-ylang 74